LES 4Z

DANGER!

YÉTI AFFAMÉ!

JULIE ROYER

Catalogage avant publication de Bibliothèque et Archives
nationales du Québec et Bibliothèque et Archives Canada

Royer, Julie

 4Z, Danger! Yéti affamé!

 (Slalom)

 Pour les jeunes de 9 ans et plus.

 ISBN 978-2-89709-227-6

I. Gendron, Sabrina, 1984- . II. Titre. III. Titre : Quatre Z, Danger!
Yéti affamé! IV. Collection : Slalom.

PS8635.O955Q374 2017 jC843'.6 C2017-942035-6
PS9635.O955Q374 2017

© 2017 Boomerang éditeur jeunesse inc.

Auteure: **Julie Royer**
Illustratrice: **Sabrina Gendron**
Graphisme: **Julie Deschênes et Mika**
Illustrations complémentaires: **Mika**

Dépôt légal – Bibliothèque et Archives nationales du Québec,
4e trimestre 2017

ISBN 978-2-89709-227-6

Gouvernement du Québec – Programme de crédit d'impôt
pour l'édition de livres – Gestion SODEC

Boomerang éditeur jeunesse remercie la SODEC pour l'aide
accordée à son programme éditorial.

Imprimé au Canada

Financé par le
gouvernement
du Canada

ASSOCIATION
NATIONALE
DES ÉDITEURS
DE LIVRES

Nom :

BÉATRICE
ROUGEAU-PAULIN

Âge :

12 ANS

Fonctions :

★ ÉLÈVE À L'ÉCOLE DES ÉTOILES
SAVANTES, UN ÉTABLISSEMENT
VOUÉ AUX ARTS ET AUX SCIENCES

★ FAIT PARTIE DU GROUPE 603

★ RÉDACTRICE EN CHEF DU
JOURNAL DE L'ÉCOLE LA GAZETTE
DES ÉTOILES SAVANTES

Nom de code :

ALPHA-BÉA

Particularité :

DOUÉE EN FRANÇAIS, LES JEUX
DE MOTS N'ONT PAS DE SECRET
POUR ELLE

Nom :

LOUIS-BENJAMIN
BEAUDIN-PROVENCHER

Âge :

12 ANS

Fonctions :

★ ÉLÈVE À L'ÉCOLE
DES ÉTOILES SAVANTES

★ FAIT PARTIE DU GROUPE 601

★ PHOTOGRAPHE POUR LA GAZETTE
DES ÉTOILES SAVANTES

Nom de code :

BÊTABIDULE

Particularité :

MAÎTRE DU GADGET. PASSIONNÉ
PAR LA TECHNOLOGIE

5

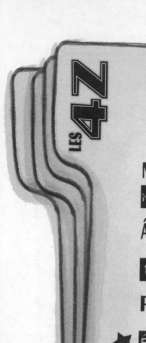

Nom :

MAY-LEE BINETTE

Âge :

11 ANS 3/4

Fonctions :

★ ÉLÈVE À L'ÉCOLE DES ÉTOILES SAVANTES

★ FAIT PARTIE DU GROUPE 602

★ JOURNALISTE CULTURELLE POUR LA GAZETTE DES ÉTOILES SAVANTES

Nom de code :

GAMMASCARA

Particularité :

ARTISTE DU DÉGUISEMENT

Nom :

`ERBY LOISEAU`

Âge :

`12 ANS`

Fonctions :

★ `ÉLÈVE À L'ÉCOLE DES ÉTOILES SAVANTES`

★ `FAIT PARTIE DU GROUPE 604`

★ `JOURNALISTE SPORTIF POUR LA GAZETTE DES ÉTOILES SAVANTES`

Nom de code :

`DELTA-DERBY`

Particularité :

`C'EST LE CASCADEUR DE L'AGENCE`

ENSEMBLE, ILS FORMENT
LES ZALPHAJUSTICIERS !

LEURS RAISONS D'ÊTRE :
A : À L'AFFÛT DE L'ACTION
B : BARRER LA ROUTE AUX MALFAITEURS
C : CAMÉLÉONS PROTECTEURS DU CITOYEN
D : DÉFIER LES DANGERS, DÉCOUVRIR
ET DÉVOILER LA VÉRITÉ

UNE CLASSE DE NEIGE

Lundi, 7 h 29

Cling ! Dring ! Zzz !

Alpha-Béa

Salut, les Zalphas ! Où êtes-vous ?

Bloop ! Dring ! Zzz !

Gammascara

Ma mère vient de me déposer devant l'école.

Bloop ! Cling! Zzz !

Delta-Derby

Je vais être en retard.
J'ai eu un petit accident.

Bloop ! Dring ! Zzz !

Gammascara

Hein ?

Bloop ! Cling ! Zzz !

Delta-Derby

Tout va bien ! Ne vous inquiétez
pas pour moi ! Bêtabidule ?

Bloop ! Cling ! Dring !

Bêtabidule

Présent ! J'arrive dans cinq minutes.

Cling! Dring ! Zzz !

Alpha-Béa

Je vous attends !

7 h 36

À la table à pique-nique qui sert de repaire aux Zalphas, dans un coin isolé de la cour, Béatrice jette un œil à son cellulaire. Sept minutes se sont écoulées et elle n'a toujours pas vu ses amis. Elle commence à s'inquiéter, d'autant plus que les autobus censés transporter les classes de sixième au mont du **Grand Blanc** pour une classe de neige viennent d'arriver.

Soudain, May-Lee fait irruption dans la cour, chargée de bagages. Elle envoie un signe de la main à Béatrice avant d'aller à sa rencontre.

— **WOW!** s'écrie Béatrice, admirant le manteau de fourrure tacheté que porte son amie.

— Il est en **léopard** synthétique, dit May-Lee en tournant sur elle-même. Je l'ai trouvé au sous-sol de l'église où ma grand-mère fait du bénévolat.

— Il te donne un style fou!

— **MERCI!** Il ressemble un peu à celui que porte **Irma Hata** dans sa nouvelle vidéo.

En disant ces mots, la jeune fille se met à chanter le succès de l'heure de son idole :

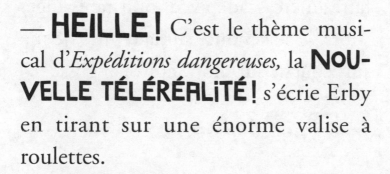

Au cœur de l'hiver

Se cache un mystère

— **HEILLE !** C'est le thème musical d'*Expéditions dangereuses,* la **NOUVELLE TÉLÉRÉALITÉ !** s'écrie Erby en tirant sur une énorme valise à roulettes.

— **IHHHHHHH !** s'écrie May-Lee en se retournant. Tu boites ? Tu t'es foulé la cheville ?

— **MAIS NON,** fanfaronne le garçon. J'ai une toute petite coupure au genou…

— Qu'est-ce qui t'est arrivé ? demande Béatrice.

— **BAH…** Ce matin, j'avais envie de faire une cascade avec mon tapis-luge. Alors, je suis monté sur la remise. Je me suis couché sur mon tapis, j'ai glissé…

— **ET… ?** insistent les filles.

Erby affiche une mine penaude.

— La piste était tellement glacée que je n'ai pas pu freiner. Ce qui fait que j'ai foncé dans le fort que mon frère avait construit avec des blocs de glace.

Devant, il y avait toute sa collection de camions en métal.

— **ET... ?** répète Béatrice.

— **BiEN,** j'ai fini avec une éraflure à la jambe puis... une **bosse au front !**

FROUTCHHHHHHHHHHH !

Le son du glissement de skis sur la neige fait se retourner les trois adolescents.

— **BÊTAROBOT !**

— **Oui-c'est-bien-moi !** répond l'automate d'une voix métallique en se dirigeant vers eux.

Béatrice balaie les lieux du regard. Pas de trace de Louis-Benjamin. Par contre, une valise est attachée au robot.

— **BÊTABIDULE?** demande May-Lee.

— **JE SUIS ICI!** répond le garçon, dont l'image apparaît dans les yeux de l'androïde.

— **OH!** s'exclame Erby, admiratif. Tu as encore amélioré Bêtarobot.

— Et toi, tu portes l'habit de neige le plus **voyant** en ville! répond Louis-Benjamin en riant.

En effet, Erby est vêtu d'une combinaison orange fluo ornée d'une large bande blanche sur la poitrine et sur l'extérieur de la jambe.

— J'ai déchiré ma salopette à la suite d'une cascade qui a mal tourné. Pour remplacer mon habit, mon père m'a refilé l'une des combinaisons qu'il portait quand il était jeune.

— Si jamais tu te perds dans la forêt, on pourra facilement te retrouver! se moque encore Louis-Benjamin.

Béatrice l'interrompt en demandant:

— **OÙ ES-TU?** On t'attend pour commencer la réunion.

— **JE SUIS LÀ!**

Les yeux de Bêtarobot s'éteignent. Louis-Benjamin rejoint ses amis. Béatrice sort aussitôt son calepin.

— Comme vous le savez, on a un **numéro spécial CLASSE DE NEIGE** de *La Gazette des étoiles savantes* à préparer. May-Lee, de quoi comptes-tu parler?

— Je pensais écrire un texte inspiré du nouveau disque **d'Irma Hata** : *Mission N-E-I-G-E,* et de son autobiographie, *Une espionne à cœur ouvert.*

— **PARFAIT,** répond la rédactrice en chef, qui a enlevé une mitaine pour griffonner des notes. Et toi, Erby?

Le garçon se tortille dans sa combinaison. Elle semble légèrement serrée.

— Je vais présenter des livres de la bibliothèque de l'auberge où on va séjourner.

— **TRÈS BIEN.** Louis-Benjamin?

Le garçon lève les yeux de l'écran de son cellulaire.

— Durant notre voyage, les élèves du groupe 601 vont travailler à leurs projets personnels, tout en expérimentant le froid et la vie dans la nature. Je vais réunir des **COMPTES RENDUS** de nos expériences.

— **BIEN,** dit la jeune fille. Moi, je vais tenir le journal de notre séjour au mont du Grand Blanc. Notre voyage, j'en suis certaine, sera très intéressant. Au cours d'une petite recherche, j'ai appris que l'auberge compte un **musée** qui possède une grande collection d'objets historiques, dont une **MOMIE.**

Erby écarquille les yeux, vivement intéressé.

— **UNE MOMIE DE PHARAON ?**

— En fait, il s'agirait d'un **animal mystérieux,** découvert au Népal par le premier propriétaire de l'auberge, qui était également explorateur.

Cette révélation fait frissonner May-Lee.

— On va dormir sous le même toit qu'un **MORT ?**

Louis-Benjamin rigole.

— As-tu déjà entendu parler d'une **momie vivante,** toi ?

— Moi oui, rétorque Erby. Cette semaine, à *Expéditions dangereuses*, on présentait le cas d'une momie qui réagissait quand on lui passait un bol de soupe aux nouilles sous le nez.

— Qu'est-ce que tu veux dire ? demande Béatrice, qui range son calepin et son crayon.

— Bien, sur l'écran d'un ordinateur, on pouvait voir qu'il y avait de l'activité dans son cerveau.

— **AH ?** intervient Louis-Benjamin, surpris. Je pensais qu'on faisait sortir le cerveau par les narines du mort à l'aide d'un crochet spécial, avant de le momifier.

— **ASSEZ DE DÉTAILS!** s'écrie May-Lee, dégoûtée.

La cloche sonne, mettant un terme à la réunion des journalistes. Le directeur s'adresse ensuite aux élèves à l'aide d'un mégaphone :

— **Bonjour à tous !** Allez rejoindre vos enseignants pour leur donner votre présence. Et… bon voyage !

Béatrice se lève.

— Rendez-vous à l'autobus !

Erby hoche la tête et se dirige vers son groupe. Derrière lui, May-Lee affiche une mine inquiète : que leur réservent ce voyage et cette momie étrange qui n'est peut-être finalement pas morte ?

— **ET-C'EST-PAR-TI-POUR-UNE-NOU-VELLE-A-VEN-TURE,** dit Bêtarobot en suivant son inventeur.

FROUTCHHHHHHHHHHH!

À L'AUBERGE
DU GRAND BLANC

11 h 32

— **ENFIN ARRIVÉS!** s'exclame Erby en sortant de l'autobus.

— C'est beau, **iCi!** s'extasie Béatrice.

Elle monte le collet de son manteau avant de sortir son appareil. Elle veut photographier le paysage pour son reportage. Tout autour se dressent des montagnes enneigées, la forêt, des lacs gelés. Devant eux, l'auberge en bois rond.

— Un moment d'attention, S'iL VOUS PLAÎT !

Madame Nathalie, la titulaire du groupe 603, tape dans ses mains pour attirer l'attention des élèves.

— Bienvenue à **l'Auberge du Grand Blanc !** Monsieur et madame Pointu, les propriétaires, vont vous mener aux dortoirs. Vous y déposerez vos bagages avant de redescendre à la cafétéria pour le dîner.

Les élèves, excités, entrent. Béatrice et ses amis décident d'attendre que l'agitation soit passée avant d'entrer à leur tour. La jeune fille prend une dernière photo des autobus, qui quittent les lieux.

— **WOW !** On va passer trois jours ici !

— **Ouais.** Si ça tourne mal, on est coincés, grogne May-Lee, qui pense toujours à la momie.

— Avez-vous vu cette corde, attachée à la galerie de l'auberge et nouée à un poteau, au bout de la cour ? demande Louis-Benjamin, à qui aucun détail n'échappe.

— C'est pour se guider quand il y a des tempêtes, répond monsieur

Pointu, qui vient les rejoindre. On tient cette corde pour ne pas se perdre.

— Elles doivent être **GROSSES,** les tempêtes, ici! souffle Béatrice.

Le propriétaire de l'auberge sourit.

— Oui... et **IMPRÉVISIBLES!** **Entrez!** Vos camarades sont déjà à la cafétéria.

Les quatre amis suivent monsieur Pointu dans l'établissement.

À l'intérieur, tout est en bois: les planchers, les murs, l'escalier qui mène à l'étage supérieur. Et puis, dans le salon, un feu de bois crépite dans un vaste foyer en pierres des champs. Ça sent bon l'érable, ce qui semble réjouir May-Lee pendant quelques secondes.

Or une tête d'orignal au-dessus du foyer, un ours noir debout à côté d'un fauteuil, ainsi qu'un loup assis dans un coin assombrissent à nouveau l'humeur de la jeune fille.

Ces animaux empaillés ne semblent toutefois pas avoir d'effet sur le prodigieux appétit d'Erby, dont les papilles sont titillées par un fumet qui s'échappe de la cuisine.

— MiAM ! Qu'est-ce qu'on mange ?

Monsieur Pointu sourit.

— Ma femme a cuisiné du **pâté au saumon** pêché ici même, dans le lac À-la-Bibitte. Les dortoirs sont en haut, au fond du corridor.

Quelques minutes plus tard, les jeunes prennent place à une grande table.

— Il est comment, le dortoir des filles ? demande Louis-Benjamin.

Béatrice avale une cuillérée de potage aux carottes avant de répondre.

— Il est **GRAND,** tout en bois et il y a un mur de fenêtres.

— Oui, ajoute May-Lee, et nos lits sont situés près de ces fenêtres, qui donnent sur le lac et une cabane en planches. Je me demande ce qu'on y trouve. Et le dortoir des garçons?

— Il ressemble au vôtre, répond Louis-Benjamin en beurrant un petit pain rond.

— Sauf que nos fenêtres donnent sur la route, précise Erby. **MIAM... IL EST BON, CE PÂTÉ!**

Le repas se déroule dans la joie. Les élèves sont **heureux** de se retrouver dans la nature. On en est à manger des carrés aux dattes quand monsieur Yves, enseignant du groupe 604, se lève.

— Cet après-midi, on va se réunir en groupes pour travailler comme on le fait d'habitude.

Les élèves poussent un soupir de déception, ce qui fait sourire monsieur Marc, l'enseignant d'éducation physique :

— Après, on va jouer **DEHORS** jusqu'au souper !

Des cris de joie répondent à cette déclaration. Erby se lève et demande à ses amis :

— On se donne rendez-vous à l'entrée de l'auberge après les cours ?

— **D'ACCORD,** répond Béatrice, qui gratte le fond de son plat pour ne rien perdre de son dessert.

Louis-Benjamin hoche la tête, la bouche pleine.

—**OUI,** ajoute May-Lee. **MAIS...**

Elle se rapproche de ses amis, baisse la voix.

—Je sens que *quelque chose* se prépare. **OH OUI...**

AU ROYAUME
DES ANIMAUX EMPAILLÉS

13 h 2

603

Assise à une table, dans la bibliothèque, Béatrice observe longuement
les lieux avant de se mettre à écrire.

Classe de neige, jour un

Notre première période se tient
dans un endroit chaleureux et

rempli de lumière. La bibliothèque de l'Auberge du Grand Blanc offre de nombreux ouvrages, pour ceux qui souhaitent en apprendre davantage sur la nature, la montagne, les créatures sauvages et les légendes locales. Par exemple, je viens de mettre la main sur deux livres visiblement très vieux, reliés de cuir brun-rouge, aux pages jaunies, qui s'intitulent _Créatures surnaturelles des montagnes et de la forêt profonde_ et _Créatures de la nuit et de la neige._

Oui, chers lecteurs, notre séjour sera, j'en suis persuadée, des plus instructifs.

601

Louis-Benjamin et son groupe se rendent, en raquettes, à la cabane sur laquelle donnent les fenêtres du dortoir des filles. La neige crisse sous leurs pas.

— À première vue, c'est une simple remise, explique monsieur Pointu, mais en fait, il s'agit d'un laboratoire. **NOUS Y VOICI.**

En parlant, l'homme insère une clé dans la serrure d'un cadenas antique. **CLAC !** L'aubergiste retire le cadenas et ouvre la porte, qui grince longuement.

— Ses gonds auraient besoin d'être huilés. **ALLEZ!**

Louis-Benjamin enlève ses raquettes et entre, suivi par les autres élèves de sa classe et son enseignante, madame Lise.

Les lieux sont plongés dans **l'obscurité.** Monsieur Pointu tâte le mur, à côté de la porte, et finit par trouver l'interrupteur. **CLIC!** Les lumières s'allument.

Les visiteurs assistent alors à un spectacle étonnant.

— ON SE CROIRAIT DANS FRANKENSTEIN! s'écrie une élève.

— Oui, dans le laboratoire d'un **SAVANT FOU!** lâche un autre.

Louis-Benjamin lance un regard circulaire sur la pièce. Autour, des armoires vitrées laissent voir des bocaux de verre dans lesquels flottent des **insectes,** des **squelettes** de petits animaux. Devant les armoires se dressent des comptoirs sur lesquels sont disposés un **MICROSCOPE,** des **BÉCHERS,** des supports remplis de **FIOLES.** Au milieu de la pièce trône une **table d'opération** entourée de matériel électrique datant d'une autre époque.

— Tous ces objets remontent aux origines de l'auberge, explique monsieur Pointu. L'établissement a été construit en 1869.

Les élèves murmurent, impressionnés. L'aubergiste poursuit :

— Le premier propriétaire des lieux, **Oswald de la Charpente,** a fait construire ce laboratoire pour étudier les objets et les insectes qu'il rapportait de ses nombreux voyages. C'était un **EXPLORATEUR.**

Un élève lève la main :

— La table d'opération servait à quoi ?

— L'explorateur l'a fait installer pour examiner la **MOMIE** dont il avait fait l'acquisition, lors d'un voyage au Népal.

— Vous parlez de la momie qui se trouve au musée de l'auberge ? demande madame Lise.

— **OUI.** On va le visiter plus tard.

Des **HOOOOOOO !** et des **AHH-HHHHH !** répondent à l'annonce de l'aubergiste. Louis-Benjamin, enthousiaste, se dirige vers un comptoir, effleurant au passage la table d'opération : « Nous allons faire des expériences marquantes, dans les prochains jours, c'est certain ! »

604

— Bienvenue à la cuisine, dit madame Pointu. Avant de commencer à préparer le souper, je vais vous montrer où se trouvent la vaisselle, les ustensiles, les aliments.

Erby sent la faim le gagner tandis qu'il découvre le contenu des armoires de l'auberge : fruits séchés, chocolat, biscuits, gruau, sucre, bouillon de poulet, nouilles, bocaux remplis de fruits, de légumes…

— Nous avons beaucoup de victuailles, explique l'aubergiste, car il arrive qu'on soit plusieurs jours coincés à l'intérieur, à cause des **TEMPÊTES.** Ici, la nature se déchaîne brusquement.

— Qu'est-ce qu'on fait dans ce temps-là ? demande un élève.

— On joue, on lit et on boit du chocolat chaud au coin du feu ! répond madame Pointu avec un sourire. À condition d'avoir entré assez de bois !

Ce sera une autre des corvées que vous aurez à accomplir durant votre séjour. En attendant, **À VOS CHAUDRONS !**

Ainsi, Erby se retrouve à cuisiner des biscuits aux pépites de chocolat, à l'avoine et aux framboises séchées cueillies derrière l'auberge. « Ça adonne bien, se dit-il, en remuant la pâte. Le grand air ouvre l'appétit. »

602

Installés auprès du feu, les élèves s'affairent à des travaux personnels.

Évitant de regarder les animaux empaillés qui les entourent (ce qui est plutôt difficile, puisqu'il y en a partout, dont un lièvre, un écureuil et un corbeau), May-Lee se glisse dans la peau de son personnage, une femme **ÉNIGMATIQUE.**

Bons baisers du Grand Blanc

Un petit avion se pose sur le lac gelé. Une femme en sort, vêtue d'un manteau de fourrure d'un noir bleuté. Elle porte des verres miroitants. Personne n'a jamais vu son regard. C'est normal, car c'est une espionne.

La femme remonte le col de son manteau. Puis elle se met à marcher entre les sapins. Elle se dirige vers l'auberge. Elle a un rendez-vous. Pour une mission.

Soudain, un craquement se fait entendre entre les branches. Elle s'arrête, aux aguets. Elle est en danger, elle le sent. Des forces obscures se cachent dans la forêt. On lui a tendu un piège.

Un long **CRAAAAAAAC** résonne dans le salon.

May-Lee, tout à son histoire, sursaute en criant, ce qui a pour effet de surprendre les élèves de sa classe, qui **HURLENT** à leur tour. Madame Manon s'excuse.

— **DÉSOLÉE,** c'est cette planche, écoutez.

Elle pose le pied sur le plancher, qui craque à nouveau.

— **Venez.** On va visiter le musée de l'auberge.

«Ça y est, on va faire connaissance avec la momie», se dit May-Lee avec un **dédain** mêlé de **peur.** Pendant un instant, elle est tentée de demander à son enseignante de rester au salon, qu'elle a surnommé «le royaume des animaux empaillés», pour continuer son texte. Une œillade lancée à l'ours, au regard furibond et aux crocs jaunes et proéminents, la convainc toutefois de suivre son groupe en accélérant le pas.

AU MUSÉE

14 h 7

— **Oswald de la Charpente,** explique madame Pointu, a fait construire son musée au sous-sol pour protéger ses objets de la détérioration causée par la lumière et la chaleur du soleil.

L'aubergiste actionne un interrupteur. La lumière se fait sur la collection que l'explorateur a créée au fil de ses voyages.

La première chose qui frappe May-Lee est la couleur de la lumière qui règne en ces lieux. « Jaune sépia. Comme si on se trouvait dans une photo du **FAR WEST**. » Et puis, il y a cette odeur, qui prend à la gorge.

— **Ça sent le vieux, ¡Ci !** s'exclame un garçon.

Les élèves rient. Madame Manon fait de gros yeux. Madame Pointu sourit avec indulgence.

— Il y a toutes sortes d'objets, ici, avec des odeurs particulières, comme l'encre, le cuir, la fourrure, le bois. À force de se mêler depuis tant d'années, elles ont formé un parfum singulier.

L'aubergiste enchaîne en présentant quelques-uns des journaux rédigés par **Oswald de la Charpente** au cours de ses expéditions.

— Est-ce qu'il est mort ? demande une élève.

— En fait, il a disparu trois ans après la construction de l'auberge.

— Il est parti sans laisser de traces ?

— **C'EST ÇA**. Comme il n'avait pas de famille, l'auberge a fini par être prise en charge par la municipalité. Elle a été rachetée par mes arrière-grands-parents. Depuis, elle appartient à notre famille.

Pendant qu'elle parle, madame Pointu enfile des gants de coton blancs avant de prendre, sur un petit lutrin, un cahier relié de cuir noir :

— À ce jour, tout ce qui nous reste d'**Oswald de la Charpente** sont ses journaux, dont voici un extrait :

7 février 1871

Aujourd'hui, je vais examiner la momie. Je veux découvrir de quel animal il s'agit. Couchée sur la table d'opération, au laboratoire, on dirait qu'elle soutient mon regard, qu'elle me défie. Parviendrai-je à percer son mystère ?

Dans le musée, le silence est profond. **« C'est à donner le frisson »,** songe May-Lee. L'aubergiste repose le journal sur sa base. Elle enlève ses gants.

— On continue la visite ?

Une multitude d'objets aussi étranges qu'intrigants forment la collection du musée : un manteau en peau de phoque ayant été porté par de la Charpente, en expédition dans le Grand Nord ; une lampe à l'huile et un tamis ayant servi à découvrir des pépites d'or, dans l'Ouest canadien ; des roches provenant des Maritimes, dans lesquelles sont imprégnés de fabuleux fossiles de poissons préhis-toriques ; un carcajou empaillé, les yeux brillants, les gencives retroussées sur ses dents acérées ; des bijoux et des objets rituels ayant été offerts à l'explorateur par un chaman lors d'un séjour chez les Sioux, au Dakota ; des crânes ayant appartenu à différentes bêtes ; de vieux grimoires, une marmite entourée de pochettes de cuir contenant des herbes et…

—… LA MOMIE !

Madame Pointu tire sur une ficelle reliée à une ampoule vissée au plafond. Une lumière blanche se fait alors sur un **ÉNORME** sarcophage de bois noir. Le couvercle, qui a été retiré, est posé à côté du cercueil. À l'intérieur de la bière se tient la momie. Elle est **GIGANTESQUE.**

Devant la dépouille, May-Lee est frappée **D'ÉBAHISSEMENT.** En effet, la momie est couverte de bandes qui, loin d'êtres immaculées, sont tachées de brun à plusieurs endroits. « Serait-ce du **sang séché ?** » se demande la jeune fille. Ensuite, ces bandes ne recouvrent pas entièrement le corps : le tissu pend ou a disparu, laissant paraître des touffes d'une **fourrure** longue et blanche.

Le regard de l'élève se pose ensuite sur ses pattes postérieures, pourvues de pieds noirs, énormes et griffus, et sur ses pattes antérieures, auxquelles sont attachées de puissantes mains noires aux longues griffes grises. « En les voyant, se dit-elle avec un frisson, on comprend ce que veut dire l'expression **"METTRE EN PIÈCES"**. »

Enfin, May-Lee pose un regard troublé sur la tête de la momie, presque entièrement poilue, à l'exception du front, du nez et du pourtour de la mâchoire proéminente, qu'on dirait de cuir noir, et de laquelle surgissent de **GRANDS CROCS.** « S'agit-il d'un **GORILLE** ? D'un **MUTANT,** mi-chat sauvage, mi-humain ? D'un **HOMME PRÉHISTORIQUE ?** »

— On ignore de quel animal il s'agit, explique madame Pointu, parce qu'on n'a encore jamais répertorié cette créature. Ce dont on est certains, c'est qu'**Oswald de la**

Charpente l'a fait venir du Népal par bateau. Il l'a achetée alors qu'il explorait **L'HiMALAYA**.

La femme éteint la lumière.

— C'est l'heure de la récréation, annonce madame Manon.

Les élèves sortent à la suite de l'aubergiste, enthousiasmés par leur visite. Soulagée de s'éloigner de la **BÊTE ÉNiGMATiQUE** qui règne au sous-sol, May-Lee prend son cellulaire.

Bloop ! Dring ! Zzz !

Gammascara

Est-ce que vos cours sont terminés ?

Cling ! Dring ! Zzz !

Alpha-Béa

> Je sors de la bibliothèque.
> On se rejoint dehors, à
> l'entrée de l'auberge ?

Bloop ! Dring ! Zzz !

Gammascara

> J'arrive dans cinq minutes.

Bloop ! Cling ! Zzz !

Delta-Derby

> Attendez-moi !

Bloop ! Cling ! Dring !

Bêtabidule

> J'y suis. Je vous attends.

— Dans le laboratoire, au bord du lac, il y a des appareils comme on en voit dans les **vieux films d'horreur !** explique Louis-Benjamin.

— Moi, dit Béatrice, j'ai trouvé des livres intéressants à la bibliothèque. Ils vont te plaire, Erby.

— **SÛREMENT,** répond le garçon. Avez-vous hâte de souper ? On a cuisiné un de ces repas !

— Bien moi, la momie m'a coupé l'appétit, déclare May-Lee. Elle est **poilue, sale, sèche, poussiéreuse** et certainement bourrée de **mites. BRRR !**

Erby rit.

— J'ai **hâte** de la voir! **AH!** Voulez-vous une primeur?

Le garçon approche son visage de celui de ses amis. May-Lee remarque alors qu'il a du rouge au coin des lèvres.

— Après le souper, monsieur Pointu va nous raconter des légendes.

May-Lee fronce les sourcils. «Après la momie, pourquoi pas des **HISTOIRES DE PEUR,** pour être certains de ne pas dormir?»

L'enseignant d'éducation physique interrompt ses réflexions en criant:

— **OK, GANG!** Je vous attends sur la pente, derrière, pour une **COMPÉTITION DE GLISSADES!**

À cette annonce, les élèves se hâtent d'aller chercher des tapis-luges. Erby, en boitillant, va rejoindre ses camarades quand May-Lee l'arrête et lui tend un miroir de poche :

— Veux-tu me dire ce que tu as au coin des lèvres ?

Le garçon prend l'objet, s'y mire et répond, après s'être essuyé avec ses gants :

— **OH !** Cet après-midi, on a bu du sang de belette !

Devant l'air horrifié de la jeune fille, le garçon pouffe :

— **MAIS NON,** c'est juste des framboises !

May-Lee pince les lèvres. Visiblement, elle ne goûte pas l'humour d'Erby. Béatrice, qui vient vers elle, lui demande :

— **QU'EST-CE QUI SE PASSE ?**
Depuis ce matin, tu sembles de mauvaise humeur.

— Je ne suis pas fâchée, Béa. Mais tout, dans l'air, me dit qu'une **CATASTROPHE** se prépare. Et je n'aime pas l'énergie que dégage cette momie. On dirait qu'elle est **MALÉFIQUE.**

— May, tu sais bien que les momies malfaisantes n'existent que dans les films. D'ailleurs, qu'est-ce que tu voudrais qu'elle nous fasse ? Comme tu le disais toi-même tantôt, elle tombe en ruines.

Un coup de sifflet retentit.

— **ALLEZ,** les filles, on se grouille un peu!

Mesdames Manon et Nathalie entraînent les deux amies vers la côte où le concours de glissades vient de commencer.

Le ciel est parfait, sans un seul nuage. La neige est éblouissante sous le soleil. Les élèves, qui glissent sur la piste, parsèment la surface blanche de taches multicolores. «Ça ferait de **SUPER PHOTOS** pour le journal, je vais en prendre quelques-unes», se dit Béatrice en sortant son appareil.

Les images qu'elle capte ont beau représenter la **joie** et la **liberté,** Béatrice réalise, en les regardant, qu'elle a été contaminée par l'inquiétude de son amie. « Et si May-Lee avait raison ? Si, comme dans une histoire d'épouvante, le **MALHEUR** nous rattrapait dans la nuit ? Ça commence toujours comme ça : les vacanciers ont le cœur léger jusqu'à ce que le soleil se couche. C'est alors que les **TÉNÈBRES** enveloppent le monde et entraînent les innocents dans un tourbillon de **TERREUR ET DE MORT...** »

Comme pour répondre à l'angoisse naissante de Béatrice, un élève qui court sur la côte pour prendre de la vitesse se fait rattraper par un autre qui, lui, est à genoux sur son tapis-luge. **BANG! C'EST LA COLLISION!** L'élève qui était debout perd l'équilibre, culbute, tombe et se cogne contre l'épaule du second glisseur. Tout se passe très vite et pourtant, dans l'œil de la caméra, la scène tourne au ralenti. Lorsque le garçon se relève, il tangue. Du **sang** coule de son nez et de sa bouche.

«Est-ce que c'est un **AVERTISSEMENT?**» se demande la journaliste, tandis qu'on secourt le blessé. «Restons aux aguets. Notre histoire vient de commencer. May-Lee dit vrai: il va se passer quelque chose d'ici la fin de la journée!»

L'OMBRE D'UN SASQUATCH

19 h 37

Les flammes dansent dans l'âtre et des ombres ondulent sur les murs. Assis près du foyer, sur une grosse chaise tressée de babiche, monsieur Pointu prend une gorgée de thé. Il pose ensuite sa tasse en terre cuite, monumentale, sur une table basse, soutenue par des pattes de chèvre. La vue de ce meuble procure un **malaise** à May-Lee, qui se hâte de reporter son attention sur l'aubergiste.

— Chers amis, la nature est **PLEINE DE SECRETS...**

Les enfants écoutent le conteur avec une attention soutenue.

— Par exemple, la forêt abriterait une **créature** que les Amérindiens nomment le **SASQUATCH,** que les Américains appellent le **BIGFOOT,** et que les Asiatiques désignent sous le nom de **YÉTI,** ou **ABOMINABLE HOMME DES NEIGES.** Certains disent que ce serait un grand singe. D'autres pensent qu'il s'agirait d'un homme préhistorique qui aurait traversé les millénaires.

Le regard de May-Lee glisse vers la tête de l'orignal, au-dessus du foyer.

«Ses yeux me fixent. **MAIS NON!** **C'est impossible : il est mort!**» La voix de l'homme la ramène à la réalité.

— Jusqu'à maintenant, personne n'a pu prouver l'existence de cette créature mi-humaine, mi-animale. Il y a bien des témoins, à travers le monde, qui affirment avoir croisé l'animal. Par contre, toutes les photos qu'on a de lui sont floues, ce qui le rend inidentifiable. **MAIS MOi...** je crois bien en avoir croisé un, un soir, alors que je revenais d'une excursion.

— **QUOi?** Un sasquatch rôderait autour de l'auberge?

Dans la pénombre, on reconnaît la voix peu rassurée d'une fille du groupe 601.

— **Oui,** répond l'aubergiste. Mais je ne peux pas vous en donner une description détaillée, car le soleil se couchait quand j'ai vu glisser son **OMBRE,** entre les arbres, avant de disparaître dans la forêt. D'après la taille de sa silhouette, c'était un petit. Ce qui me laisse penser qu'une famille de sasquatchs vivrait dans la montagne.

Erby, fasciné par le sujet, demande :

— Comment savoir si on se trouve sur les traces d'un **SASQUATCH ?**

Le conteur prend une gorgée de thé avant de répondre.

— D'après ce que j'ai lu sur le sujet, le sasquatch laisse d'énormes traces. Il dégagerait aussi une **forte puanteur.**

Béatrice, qui prend des notes, lève la main à son tour :

— Avez-vous vu des **EMPREINTES ?** Avez-vous senti son **ODEUR ?**

L'aubergiste fait **non** de la tête.

— Le soir de son apparition, je souffrais d'un rhume. J'avais donc le nez bouché. Quant aux traces, c'était l'automne, ce qui fait que le sol était couvert d'une épaisse couche de feuilles.

Béatrice le remercie. Erby lève la main à nouveau.

— Ce sera la dernière question de la soirée, intervient monsieur Yves.

— Comment on fait pour distinguer le yéti, le sasquatch et le bigfoot ?

L'homme se cale dans son fauteuil.

— J'imagine que leur fourrure s'adapte à leur environnement. Par exemple, le sasquatch et le bigfoot, qui vivent dans la forêt, sont bruns, tandis que le yéti, qui habite les montagnes enneigées, est blanc. Chose certaine, si vous allez dans le bois, **SOYEZ PRUDENTS.** Tout peut arriver, dans la nature.

L'hôte se lève et, sa tasse à la main, souhaite une bonne nuit à tous.

Les enseignants se lèvent à leur tour en invitant les élèves à monter aux dortoirs, ce qu'ils font à contrecœur, désolés de devoir déjà se coucher. Les **42** profitent de ce mouvement pour échanger quelques mots.

— On va avoir un tas de choses à raconter dans le journal, dit Béatrice, satisfaite, en piquant son stylo dans l'élastique de sa queue de cheval.

— Moi, réplique May-Lee, je ne suis toujours pas rassurée. Avec tous ces animaux morts autour de nous, je comprends mieux le refrain de cette chanson d'**Irma Hata** :

Mon cœur s'emballe

Je sens le mal

La nuit libère

La bête et son mystère

Erby pouffe.

— Ma mère dit toujours qu'il faut plutôt **craindre les vivants** que les morts : les morts ne peuvent pas nous faire de mal, tandis que les vivants…

— **AH ?** rétorque la jeune fille. Qu'est-ce que tu disais ce matin, au sujet de la momie qui réagissait quand on lui passait un bol de soupe sous le nez ? Est-ce qu'elle était **MORTE OU VIVANTE ?**

Du palier, madame Manon met un terme à cette discussion animée.

— **TOUT LE MONDE AU LIT !**

Les **Z** montent à l'étage en silence.

— Bonne nuit, dit Erby avant d'ouvrir la porte qui mène au dortoir des garçons.

— Bons rêves, ajoute Louis-Benjamin.

— **C'EST ÇA,** souhaitons-nous de nous réveiller demain matin, répond May-Lee pour elle-même.

Béatrice observe son amie en songeant à la chanson de la chanteuse espionne. « Et si, tel qu'elle le craint, la nuit délivrait la bête, avec ses CROCS, SES GRIFFES, SON OMBRE ? »

D'un **bond,** elle saute dans son lit et se recroqueville sous ses couvertures. « ÇA Y EST, se dit-elle. J'ai peur pour de bon. Comment dormir, maintenant ? »

6

NUIT BLANCHE, PEUR NOiRE

2 h 57

Tout est calme dans le dortoir des filles. Les rayons de la lune entrent par les grandes fenêtres et illuminent doucement les dormeuses.

Subitement, Béatrice ouvre les yeux. Elle vient de faire un **ABOMINABLE CAUCHEMAR. OUF!** Elle reprend son souffle, heureuse de constater qu'il ne s'agissait que d'un mauvais rêve. Cette créature qui les pourchassait, elle et ses amis, alors qu'ils s'enfonçaient dans la tempête, n'appartient pas à la réalité. Ici, ils sont à l'abri, dans un lieu sécuritaire, avec des adultes.

— TU NE DORS PAS ? murmure May-Lee, émergeant elle aussi du sommeil.

La jeune fille s'assoit dans son lit et raconte, en chuchotant, le cauchemar qu'elle vient de faire. May-Lee soupire.

— C'EST ÉTRANGE, j'ai fait un rêve semblable. Il y avait une **tempête,** on était coincés ici. Les animaux empaillés de l'auberge reprenaient vie. La table du salon nous courait après.

Béatrice passe une main dans ses cheveux, pour **CHASSER** les images de son esprit.

— **J'ai soif.**

— **MOI AUSSI.**

Les filles sortent de leur lit. Elles se dirigent vers la salle de bains quand, tout à coup, un **mouvement** derrière la vitre attire l'attention de Béatrice.

— **REGARDE.** Près du hangar.

Elles s'approchent de la fenêtre. Béatrice pointe de l'index un endroit précis, dans la neige, près de la remise-laboratoire.

— Je suis certaine d'avoir vu quelque chose bouger.

May-Lee écarquille les yeux. Elle a une pensée pour son **idole,** qui exerce un métier aussi dangereux qu'ardu.

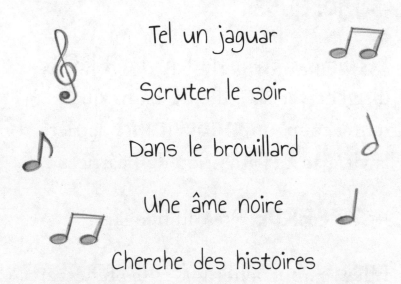

Tel un jaguar

Scruter le soir

Dans le brouillard

Une âme noire

Cherche des histoires

Soudain, elle voit. Une **OMBRE PÂLE** se dessine sur la neige. Est-ce un animal ? Un homme ? La créature disparaît derrière le hangar. Les deux filles échangent un regard **stupéfié.** Trois secondes passent. May-Lee, blême, se laisse tomber sur le lit de Béatrice.

— Mon intuition ne me trompe donc pas : **IL SE PASSE DES CHOSES ICI !**

Le ton de la jeune fille a monté. À côté, une dormeuse se retourne en grognant.

— **CHUT !** lance une autre.

Béatrice se tourne vers son amie.

— Sors ton cellulaire et cache-toi sous tes couvertures. Il faut absolument écrire aux garçons.

Cling ! Dring ! Zzz !

Alpha-Béa

Êtes-vous là ?

Bloop ! Cling ! Dring !

Bêtabidule

Présent !

Bloop ! Cling ! Zzz !

Delta-Derby

Qu'est-ce qui se passe ?
J'espère que c'est important :
dans mes rêves, je venais
d'obtenir une médaille d'or
aux Olympiques pour le
saut en skis.

Bloop ! Dring ! Zzz !

Gammascara

On vient de voir une grande bête
blanche aux alentours du hangar.

Bloop ! Cling ! Zzz !

Delta-Derby

> Monsieur Pointu avait donc raison,
> ce soir, avec ses histoires.

Bloop ! Cling ! Dring !

Bêtabidule

> Monsieur Marc vient de
> nous demander de fermer
> nos appareils. Bye !

Cling ! Dring ! Zzz !

Alpha-Béa

> Réunion urgente au déjeuner.

Bloop ! Cling ! Zzz !

Delta-Derby

> 10-4 !

Les filles éteignent leurs appareils.

— Dire que les dormeuses, autour, ignorent tout du danger qui plane sur elles…

— Heureusement, elles peuvent compter sur les **Z,** chuchote Béatrice.

— Qu'est-ce qu'on fait, là, **MAINTENANT ?**

— On va veiller sur elles. Dors, je vais prendre le premier tour de garde.

— **T'ES CERTAINE ?**

— **Oui.** Je vais te réveiller dans deux heures.

May-Lee a beau vouloir rester éveillée pour tenir compagnie à son amie et assurer la sécurité du groupe, elle se laisse finalement gagner par le sommeil. **ELLE EST ÉPUISÉE.**

De son côté, Béatrice demeure aux aguets. Elle se demande si la bête qu'elles ont vue pourrait vouloir entrer dans l'auberge, attirée par l'odeur des vivres… et de la viande. «Quel genre d'animal c'était donc? **UN OURS? UN CHIEN? UN LOUP? UN YÉTI?** Au fait, qu'est-ce que ça mange, un abominable homme des neiges? De la chair humaine?»

Dans le lit d'à côté, une fille se met à ronfler, ce qui fait **sursauter** Béatrice. Le cœur battant, elle tente de combattre la peur qui grandit en elle à l'idée qu'elle et ses camarades puissent devenir les proies d'un grand prédateur. « **VOYONS,** tu ne sais pas ce que tu as vu ! C'était peut-être juste une boule de neige qui avançait toute seule dans la nuit. Comme les arbrisseaux épineux qui roulent dans le désert. Ouais. Sauf que les boules de neige sont un peu lourdes pour être soulevées par le vent. Respire, Béa. Respire. Il n'y a pas de danger en ce moment. »

La jeune fille, qui a **chaud** et qui a du **mal à respirer,** repousse ses couvertures. Que faire pour rester éveillée ? Il n'est pas question de se poster à nouveau devant les fenêtres. Elle en a assez vu pour ce soir. D'ailleurs, la bête pourrait l'apercevoir et, qui sait, la mettre au menu de son prochain **DÉJEUNER**. À cette idée, Béatrice sent son estomac se nouer. **AH!** Comme elle a la gorge sèche! Avec toute cette histoire, elle n'a toujours pas bu. **OH!** Mais elle n'ira pas à la salle de bains. Pas seule, en tout cas.

Pour tromper son effroi et sa soif, elle décide de sortir son cahier de mots croisés et le crayon qu'elle avait rangé sous son oreiller. Elle actionne ensuite la fonction lampe de poche de son cellulaire.

«Cherchons un mot de neuf lettres, qui commence par un **"N"** et qui désigne un être ayant la faculté

de voir dans l'obscurité. Noirvoyant ?
Non, le mot compte dix lettres.
Noiriyeux ? Non. Nui... Nyc...
Nyct... **NYCTALOPE !**
N-Y-C-T-A-L-O-P-E ! »

La cruciverbiste note le mot dans
les cases, heureuse de sa trouvaille.
Puis, elle s'inquiète : « Est-ce que le
sasquatch, le yéti, le bigfoot sont
des **CRÉATURES NYCTALOPES ?**
Qu'est-ce qu'on ignore d'eux et
qu'on devrait savoir ? »

Fouillant sous son oreiller, Béatrice
troque son cahier de mots croisés
pour son calepin.

Réunion extraordinaire des Z

1. Apparition d'une créature dans la nuit

2. Collecte d'informations sur les abominables de toutes sortes

3. Autres idées et commentaires

4. Fin de la réunion

Après avoir rédigé **l'ordre du jour** de la réunion du lendemain, Béatrice s'étend sur le dos, les mains derrière la tête. Les yeux rivés au plafond, elle y projette la scène de l'apparition, encore et encore, cherchant à y capter des images qui auraient pu lui échapper.

Une fille se tourne dans son lit. Le bruit du sommier surprend Béatrice. « **AHHHH !** se dit-elle, en essayant de faire de l'humour pour se rassurer. Vous avez du mal à dormir ? **COMPTEZ DES MOUTONS.** Vous ne voulez pas dormir ? **COMPTEZ DES YÉTIS !** »

RÉUNION D'URGENCE

Mardi, 6 h 45

Bloop ! Cling ! Zzz !

Delta-Derby

Cocorico ! On vous attend à la cuisine !

Bloop ! Dring ! Zzz !

Gammascara

On arrive. Alpha-Béa vient de se réveiller.

Bloop ! Cling ! Dring !

Bêtabidule

À+

7 h 2

Attablés devant des assiettes débordantes d'œufs dorés, de toasts et
de petites patates rôties à point,
les **ЧZ** font le résumé des derniers
événements.

— J'ai voulu veiller une partie de
la nuit, mais je me suis finalement
endormie, confie Alpha-Béa, **désolée,** le teint brouillé, les yeux cernés.

— Tu as fait de ton mieux, dit Gammascara pour la réconforter. Ce qui compte, c'est aujourd'hui. Mon petit doigt me dit que le **DANGER SE RAPPROCHE,** comme un requin, qui fait des cercles de plus en plus serrés autour de sa proie…

— Je chuis moi-même **AFFAMÉ** comme un requin, proclame Delta-Derby, la bouche pleine de toasts à la confiture de bleuets. **CHEST BON iCHI! Euh...** qu'est-che que tu as chur la joue, Gammachcara?

La justicière repousse ses cheveux pour mieux montrer son tatouage temporaire.

— C'est un pictogramme de protection. **Irma Hata** en porte un dans sa nouvelle vidéo. Au centre, **UN ŒIL**. Autour, **DES FLÈCHES**. Si vous le voulez, je pourrais vous en peindre aussi.

— **NON MERCHI,** répond Delta-Derby. Ma peau ne chupporte pas le maquillage. Comme tu es protégée, je me tiendrai derrière toi, chi jamais on rencontre un chasquatch!

May-Lee lui répond par un **PFFF!** fâché. Alpha-Béa intervient en annonçant le début de la réunion.

— Delta-Derby, en tant que spécialiste des **créatures fantastiques,** as-tu une idée de ce que mangent les abominables? Peux-tu nous dire comment ils vivent? Est-ce qu'ils sont réellement un danger pour nous?

Le garçon pose sa fourchette.

— Tout ce que je sais, c'est qu'ils sont **GIGANTESQUES.** Concernant leur régime alimentaire, j'imagine qu'ils se nourrissent de ce qu'ils trouvent dans la nature.

— Et si c'est nous qu'ils trouvent? demande Gammascara en examinant ses ongles vernis de noir.

Sur l'index droit, elle a peint **L'ŒIL D'HORUS**, symbole protecteur égyptien, tôt ce matin.

— Je n'en sais pas plus que vous pour le moment, répond Delta-Derby. Je dois aller à la bibliothèque avec mon groupe, ce matin. Je vais consulter les ouvrages qu'Alpha-Béa a trouvés hier.

— **BONNE iDÉE !** dit Bêtabidule. Comme on a un peu de temps avant le début des cours, je propose qu'on aille étudier de plus **près les lieux** où vous avez aperçu la **« BÊTE ».** On pourrait y découvrir des traces.

La suggestion du garçon étant acceptée à l'unanimité, les **4Z** mettent fin à leur réunion et vont enfiler leurs habits de neige.

— **GÉNIAL !** UNE NOUVELLE **ENQUÊTE** ! s'écrie Delta-Derby en chaussant une paire de raquettes.

— **Chut !** le gronde Alpha-Béa. Notre balade doit rester secrète ! Il ne faut pas semer la panique parmi les élèves et les enseignants. En passant, comment va ton genou ?

— Il est un peu raide, mais je vais survivre.

— Tant-mi-eux tant-mi-eux, dit Bêtarobot.

Les **4Z** se mettent en route sous un soleil radieux. L'air embaume le sapinage. May-Lee, toutefois, est inquiète.

— J'ai l'impression que c'est le **CALME** avant la **TEMPÊTE.**

Pour se changer les idées, elle insère ses écouteurs dans ses oreilles et sélectionne sur son appareil la nouvelle chanson de son artiste préférée :

Tu viens d'un autre univers
Là-bas, c'est toujours l'hiver
Je te suis à la trace
Sur la neige et la glace
Je suis en danger
Tu m'as démasquée
Tes griffes ont gravé
Au sommet d'un glacier
Nos deux noms, enlacés
Me voilà envoûtée

Précédant le groupe, Bêtarobot, ses **YEUX-CAMÉRAS** ouverts sur le paysage, glisse sur la neige molle. Bêtabidule le suit, le nez rivé sur l'écran de son appareil. Il s'arrête une seconde et se tourne vers ses camarades.

— Rien à signaler pour le moment. La créature n'est pas passée ici.

« Peut-être qu'on a eu une **hallucination »,** songe Alpha-Béa.

En effet, avec le retour du jour, sa peur s'est évanouie. « Je parie qu'on ne trouvera rien aux alentours du hangar. Après tout, pourquoi cette bête se serait-elle manifestée exactement hier soir ? J'étais trop fatiguée, ce qui m'a amenée à mélanger les histoires de monsieur Pointu et la réalité. Il ne peut rien se passer de fâcheux durant notre séjour : nous sommes seulement un groupe scolaire en classe de neige. Les légendes, c'est fait pour divertir. Point. »

— **STOP !** crie soudainement Bêtabidule.

Le groupe s'immobilise. Gammascara, tout à sa musique, n'entend pas la consigne de Bêtabidule et fonce sur Delta-Derby, qui tombe sur Alpha-Béa.

BANG ! AH ! OUCH ! BANG ! AHHHHHHHHHHHH !

— Avec le bruit que vous faites, s'il y a un animal dans le coin, il va nous entendre, **C'EST SÛR**, remarque Bêtabidule.

— **Désolée,** répond Gammascara en rangeant ses écouteurs. **QU'EST-CE QUI SE PASSE ?**

— Je pense qu'une bête est **RÉEL- LEMENT** venue ici hier soir. **REGARDEZ !**

Les agents secrets se penchent sur l'appareil de Bêtabidule. Ils constatent alors que la neige a été **piétinée** devant le hangar.

— **ÇA NE VEUT RIEN DIRE,** dit Delta-Derby. Tu es venu avec ton groupe, hier.

— **C'EST VRAI,** admet Alpha-Béa. Mais, on a vu la bête se déplacer vers le côté de la bâtisse. Peut-être qu'il y a des **traces fraîches** à cet endroit.

— **ALLONS-Y,** dit Bêtabidule.

— **ATTENDEZ !** crie Gammascara.

Devant ses amis abasourdis, elle interprète une étrange chorégraphie en pointant le hangar à plusieurs reprises tout en lâchant des **HO !,** des **HA !,** des **OUIOUA !** sonores.

Quand elle s'arrête de danser, Delta-Derby demande :

— **C'ÉTAIT QUOI, ÇA ?**

— Un **RITUEL PROTECTEUR.** Sur YouTube, **Irma Hata** expliquait, l'autre jour, qu'elle le fait chaque fois qu'elle doit entrer dans un endroit qui dégage de l'énergie négative. Elle affirme que ces mouvements et ces cris améliorent également la capacité pulmonaire, la force musculaire, la souplesse et la grâce.

— Tant mieux. Alors, allons-y lentement, suggère Bêtabidule. Et faites attention à ne pas marcher sur les preuves !

Les **4Z** arrivent bientôt à la cabane, dont l'entrée a été piétinée par les bottes des élèves.

— Il n'y a rien dans le coin, admet Alpha-Béa. Mais suivez-moi sur le côté.

Les justiciers suivent leur collègue.

À cet endroit aussi, la neige a été foulée.

— **OUVREZ L'ŒIL ! C'EST IMPORTANT !** dit Gammascara. Je sens la présence de la bête, tout près…

— Qu'est-ce qu'elle sent ? demande Delta-Derby avec un petit rire.

— Ne te moque pas, rétorque Gammascara, tu pourrais attirer le mauvais sort !

Bêtabidule pousse un **CRi.**

— ICI !

Le cœur d'Alpha-Béa se met à battre à une vitesse olympique. «Comme ça, la bête était **bien réelle !**»

Bêtabidule photographie l'empreinte. Elle a la forme d'une **PATTE D'OURS,** mais en beaucoup plus grande. Des pointes, enfoncées dans la surface enneigée, laissent supposer que les pieds de la bête sont pourvus de **GROSSES GRIFFES.**

— Êtes-vous conscients, demande Delta-Derby d'une voix assourdie par l'émotion, que nous sommes les premiers à avoir découvert des **PREUVES TANGIBLES** de l'existence d'un sasquatch ?

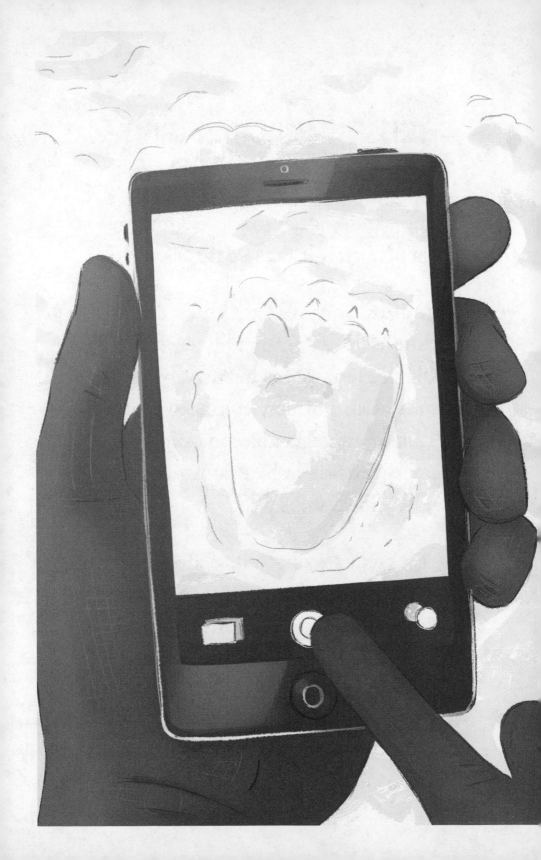

— **C'EST HALLUCINANT,** répond Bêtabidule. On va ramener nos photos à nos enseignants pour les avertir que la bête dont parlait monsieur Pointu existe bel et bien…

Alpha-Béa réfléchit un instant.

— Même si j'ai peur, je pense qu'on devrait plutôt poursuivre notre enquête et dévoiler nos découvertes dans le prochain numéro du journal. **IMAGINEZ!** On tient un sujet en or!

— Qui nous permettra à coup sûr de passer à *Expéditions dangereuses,* ajoute Delta-Derby, surexcité.

— On pourrait même faire l'objet d'un article dans le *Livre des records,* poursuit Bêtabidule, comme étant les plus jeunes chercheurs à avoir élucidé l'une des **PLUS GRANDES ÉNIGMES DE L'HUMANITÉ !**

— Oui, mais vous ne trouvez pas que c'est dangereux ? demande Gammascara en jetant des œillades à gauche et à droite.

Un coup de sifflet retentit. Son écho se répercute dans les montagnes environnantes. C'est monsieur Marc, en haut de la grande pente, qui annonce le début des cours.

— On ferait mieux d'y retourner, dit Alpha-Béa.

— On se voit ce midi ? demande Delta-Derby.

— **OUI,** et en attendant, on garde l'œil ouvert, répond Bêtabidule.

Précédés par Bêtarobot, les justiciers reprennent le chemin de l'auberge. Dernière de la file, Gammascara fredonne cette ritournelle de la chanteuse espionne :

Tu m'épies, dans le noir

Tu te caches, pour me voir

Je sens ta présence

Je suis en état d'urgence

OPÉRATION
ABOMINABLE MOMIE

8 h 17

601

— Est-ce qu'il y a des **VOLON-TAIRES** pour rentrer du bois? demande madame Pointu.

Louis-Benjamin et deux autres élèves lèvent la main.

— **C'EST BIEN. Suivez-moi** dehors pendant que vos camarades enfilent leurs tabliers.

La cuisinière entraîne les trois élèves vers un appentis sous lequel on a cordé des bûches.

— Vous n'avez qu'à entrer du bois au salon. Vous en ferez une belle grosse corde à côté du foyer. Comme ça, on aura des provisions pour la journée.

Ses consignes données, l'aubergiste va rejoindre le groupe à la cuisine. Bêtabidule commence aussitôt à s'acquitter de sa tâche, tout en réfléchissant à la découverte du matin. « Si on est **CHANCEUX**, on réussira peut-être même à entrer en contact avec la bête. Au fait, comment fait-on pour communiquer avec un sasquatch ? »

Soudain, un détail attire l'attention du garçon : une **TOUFFE de poils blancs,** aux pointes légèrement blondes, est accrochée à l'écorce d'une bûche. Appartiendraient-ils à la mystérieuse créature de la forêt ? L'agent secret en herbe prélève cette deuxième **PIÈCE À CONVICTION** et la range dans l'un de ses gants, qu'il place précautionneusement dans la poche de son manteau. Il sort ensuite son cellulaire.

Bloop ! Cling ! Dring !

Bêtabidule

La bête est venue jusqu'à l'auberge. J'en ai la preuve.

Bloop ! Cling ! Zzz !

Delta-Derby

Qu'est-ce que t'as trouvé ?

Bloop ! Cling ! Dring !

Bêtabidule

Des poils blancs.

Bloop ! Cling ! Zzz !

Delta-Derby

Est-ce que les sasquatchs changent de couleur en hiver, comme les lièvres ?

Cling ! Dring ! Zzz !

Alpha-Béa

Peut-être… Mais j'y pense : il pourrait aussi s'agir d'un sasquatch albinos !

Bloop ! Cling ! Dring !

Bêtabidule

Ou d'un sasquatch croisé à un yéti ? Un sasquyéti ?

Bloop ! Dring ! Zzz !

Gammascara

J'imagine l'histoire ! Un yéti quitte le Népal pour des vacances au Grand Blanc. Là, il a le coup de foudre pour une jolie sasquatch, ils se marient et ont de nombreux enfants. C'est romantique, épeurant… et farfelu !

117

Bloop ! Cling ! Dring !

Bêtabidule

Bien quoi ? Récemment, des chercheurs ont bien découvert des pizzlys, des ours polaires croisés à des grizzlys. D'ailleurs, l'autre soir, monsieur Pointu parlait d'un petit sasquatch, ce qui impliquerait l'idée d'une famille…

Cling ! Dring ! Zzz !

Alpha-Béa

Nous discuterons de ces hypothèses plus tard. Je dois ranger mon appareil avant de me faire prendre par madame Nathalie.

Bloop ! Dring ! Zzz !

Gammascara

En tout cas, je prédis qu'on n'a pas fini d'assister à des phénomènes surnaturels ici.

Bloop ! Cling ! Dring !

Bêtabidule

Je suis certain, Gammascara, que tu ne devineras jamais ce qu'on prépare pour le dîner.

Bloop ! Cling ! Zzz !

Delta-Derby

Ne dis rien. J'adore les surprises ! Je suis présentement à la bibliothèque. Je vous fais un compte rendu ce midi. À+

604

Erby, crayon et cahier en main, feuillette *Créatures surnaturelles des montagnes et de la forêt profonde.* Il note :

· Depuis la nuit des temps, des créatures associées à des ours ou à des singes géants ont été aperçues dans diverses parties du monde.

· Elles vivent cachées. Elles sont sauvages. Elles sèment la terreur.

· Des dizaines de disparitions non élucidées seraient probablement liées à ces bêtes. On dit même, dans certains coins du globe, qu'elles se nourriraient de chair humaine.

« **EH BIEN,** pense Erby en avalant sa salive de travers. On aurait donc pu finir notre promenade matinale dans **l'estomac** d'un… ou de plusieurs **YÉTIS MUTANTS…** »

602

Au salon, May-Lee poursuit son histoire.

L'espionne n'a pas le temps de réagir; en un éclair, on lui jette un sac sur la tête avant de se saisir d'elle. Où l'emmène-t-on? Pourquoi? Serait-ce la Section Mode Rouge, une agence d'artistes dont les membres sont jaloux de son succès? Seraient-ce des cosméticiens concurrents, qui voudraient lui arracher la recette secrète de son parfum Noir Mystère? «Je tiendrai bon», se dit-elle, transportée comme une vulgaire poche de patates. «Heureusement, ce matin, j'ai appliqué le Puissance 10, mon nouvel antisudorifique, conçu pour les spectacles et les missions, deux situations qui causent de grands stress. Je vais pouvoir le tester.»

8 h 53

603

Son animation terminée, monsieur Pointu donne l'autorisation aux élèves de **VISITER LIBREMENT** le musée. Instinctivement, Béatrice se dirige vers le lutrin où sont exposés les journaux et les cahiers d'**Oswald de la Charpente**. L'explorateur avait une écriture fine, très serrée, ce qui rend **difficile** la lecture de ses notes. Mais la jeune fille, qui aime résoudre les **ÉNIGMES,** s'obstine à vouloir déchiffrer l'un des feuillets. Tant et si bien qu'elle finit par lire, avec un sursaut :

18 avril 1871

Parfois, la nuit, j'ai la sensation que la momie se déplace dans l'auberge. On dirait qu'elle cherche la sortie. Qui est-elle véritablement? Serait-elle vivante? Elle...

La lecture de Béatrice est interrompue par la **voix** de l'aubergiste, qui invite le groupe à sortir.

— On vous attend à la cuisine pour la collation.

L'aubergiste éteint la lumière qui éclaire la momie. Une seconde, celle-ci a semblé **S'ANIMER.** «On dirait qu'elle retient son souffle pour feindre la **MORT,** pense la jeune fille. Si c'est le cas, elle est vraiment **rusée.** »

Incapable de détacher son regard de la créature, Béatrice se rapproche d'elle, malgré son malaise grandissant. À deux pas de la momie, la journaliste sent ses narines frémir. «Ça sent la bête fauve. Est-ce la dépouille qui dégage cette **ODEUR ?** »

— **TU VIENS,** Béatrice?

La voix de madame Nathalie sort la jeune fille de ses réflexions. Elle lance une œillade à ses camarades. Ceux-ci, en rang, la regardent en souriant. Ils pensent qu'elle est dans la lune et, visiblement, ça les amuse.

« S'ils savaient ce qui **rôde** dans le coin, ils souriraient moins, pense Béatrice en rejoignant son groupe. Mais, le leur dire ne ferait que les effrayer. D'ailleurs, ils ne nous croiraient pas. Poursuivons notre enquête. Nous finirons bien par découvrir la vérité. »

Bêtabidule sort la **TOUFFE DE POiLS** de son gant pour la montrer à ses amis.

— Ça veut dire que la bête tourne autour de l'auberge, dit Gammascara d'une voix blanche. Elle se prépare peut-être à **enlever** l'un d'entre nous.

— Si Gammascara a raison, soutient Delta-Derby, il se pourrait que cet enlèvement ait un but alimentaire.

Gammascara manque de **S'ÉTOUFFER**. « Est-ce que les symboles de protection nous permettront de survivre, en cas **d'attaque ?** » Pour se rassurer, elle se met à réciter un passage d'*Une espionne à cœur ouvert* :

— Analyse, apprivoisement. Analyse, apprivoisement. Analyse...

— **QUOI ?** demande Alpha-Béa.

— Je répétais le mantra d'**Irma Hata**. Quand elle se retrouve face au danger, elle répète ces mots pour contrôler sa **PEUR.**

— **AH...** Je suis d'accord pour l'analyse de la situation. Pour ce qui est de l'apprivoisement du yéti, **ON Y REVIENDRA.**

La rédactrice en chef ouvre un carnet neuf. Elle s'assure que personne, autour, ne les écoute, avant de partager les impressions qu'elle a notées au sortir du musée.

— Ce matin, on se demandait comment un **yéti** avait pu atterrir ici, au mont du Grand Blanc.

Les agents hochent la tête. Alpha-Béa poursuit :

— Après avoir lu des extraits du journal d'**Oswald de la Charpente**, je pense que cette bête pourrait être la **MOMIE** de l'auberge.

Cette révélation secoue tellement Delta-Derby qu'il en échappe un morceau de biscuit dans son chocolat chaud. Bêtabidule **blêmit.**

— Tu penses que la momie est…, commence-t-il.

— **VIVANTE, OUI,** le coupe Alpha-Béa. Elle m'a semblé respirer, tout à l'heure, quand je l'observais. Et elle puait fort.

— Tu veux dire que c'est une **momie** qu'on aurait vue la nuit dernière ? ajoute Gammascara, dont la voix monte dans les aigus.

— **OUI ET...**

Alpha-Béa baisse la voix.

— Je pense qu'elle aurait kidnappé **Oswald de la Charpente**, ce qui expliquerait sa disparition. Peut-être même qu'elle l'a mangé...

— On lirait cette histoire-là dans un livre qu'on la trouverait exagérée, intervient Gammascara, dépassée. Qu'est-ce que tu proposes de faire?

— On va ouvrir une enquête. Comment la nommer?

Les **Z** réfléchissent quelques secondes. Bêtabidule lève un index :

— Comme il est question d'une momie et d'un yéti, et possiblement même d'une momie de yéti, je suggère « **OPÉRATION ABOMINABLE MOMIE** ».

Alpha-Béa note le titre sur la première page du calepin. Elle demande ensuite à Delta-Derby :

— Par où commencer notre opération?

131

Le garçon tapote la bosse qu'il a au front. Il constate avec soulagement qu'elle semble en bonne voie de guérison. Tout comme son genou.

— Je propose qu'on aille au musée, cette nuit, pour examiner la momie et comparer les poils trouvés par Bêtabidule à la fourrure de l'animal.

Une discussion s'ensuit. Alpha-Béa et Bêtabidule sont d'accord. Gammascara, pour sa part, trouve l'idée de Delta-Derby ultra **RIS-QUÉE**. Aussi, elle hésite un peu, mais se laisse convaincre après avoir eu une pensée pour son idole, qui a « sûrement déjà vu pire ». Elle sort ensuite un sac de plastique de la poche de son jeans, à l'effigie du disquaire où elle s'est procuré le dernier album d'**Irma Hata**. Elle le tend à Bêtabidule.

— Mets-y les poils. Tu vas pouvoir libérer tes gants.

Le garçon s'exécute. Il donne ensuite le sac à Alpha-Béa, qui note dessus, au stylo-feutre rouge : **« PiÈCE À CONViCTiON NUMÉRO 2. »**

La réunion des Zalphas se termine quand monsieur Marc tape des mains.

— La récréation **EST TERMiNÉE !** Allez rejoindre vos enseignants. Groupe 603, **vous venez avec moi !**

Les agents secrets se lèvent et se séparent après s'être donné rendez-vous pour le dîner. Ils sont **excités :** la journée promet d'être riche en **REBONDISSEMENTS.**

AUX FRONTIÈRES DES TÉNÈBRES

9 h 47

602

Inspirée par la chanteuse-espionne, qui affirme, dans son autobiographie, **« SENTIR LES CHOSES »,** May-Lee se laisse imprégner par l'ambiance du laboratoire pour tenter d'entrer en **symbiose** avec l'esprit de la momie.

« La table d'opération, la luminosité, cette odeur de formol… **OH**

MON DIEU! JE SENS SON ÂME! Elle ne comprend pas ce qui lui arrive. Une forte **décharge** électrique, comme un éclair, lui déchire la poitrine à l'endroit où, de son vivant, battait son cœur. Elle sort des ténèbres en se levant d'un coup de la table froide. Elle est éblouie par la lumière. Puis elle ressent la faim. Elle tourne la tête et voit l'explorateur, son scalpel à la main. Elle arrache les bandelettes qui couvrent sa bouche et… **OURAAAAAAAAAAAH!** »

La jeune fille **HURLE** en sentant une main sur son épaule, ce qui a pour effet de faire sursauter le groupe.

— **EXCUSE-MOI,** lui dit Stefano, un camarade. Je voulais juste t'offrir une pastille. T'étais loin…

— Plus loin encore que tu le penses…

604

Erby scrute la **momie** en fouillant la poche de sa chemise. Il en sort un *jerky* au bœuf Purboeuf. Il a demandé à sa mère d'en acheter une quantité industrielle pour la classe de neige. Il en a bourré ses bagages, au cas où lui et ses amis se perdraient dans la nature. Il a eu cette idée en regardant

Expéditions dangereuses, dont les vedettes ont toujours des *jerkies* Purboeuf à portée de main. Comme le dit la publicité :

« Les *jerkies* Purboeuf sont faits de viande de bœuf biologique à 100 %. Les *jerkies* Purboeuf, les préférés des explorateurs qui ont du goût, de l'appétit, et qui ne craignent pas le danger. »

Erby profite d'un moment où personne ne lui porte attention pour passer la languette de bœuf sous le nez de la momie, qui ne réagit pas. « En apparence, seulement, se dit le garçon. Avec un scanneur, on observerait sûrement de **L'ACTIVITÉ** dans sa tête. On ne peut pas résister à un *jerky* Purboeuf. »

La voix de monsieur Yves le fait sursauter.

— Qu'est-ce que tu fais, **ERBY ?** Tu sais pourtant qu'on n'a **pas le droit** de toucher aux objets du musée.

Le garçon tourne la tête. Tout le monde le regarde. Il lui faut trouver quelque chose à dire et vite !

— **JE VOULAIS JUSTE...** comparer la couleur de la peau du nez de la momie à mon *jerky*... pour un dessin, dans le journal étudiant...

Son enseignant soupire.

— Rendez-vous au salon, pour la période de français.

10 h 1

Bloop ! Cling ! Zzz !

Delta-Derby

Qui va au musée à la prochaine période ?

Bloop ! Cling ! Dring !

Bêtabidule

Moi. Pourquoi ?

Bloop ! Cling ! Zzz !

Delta-Derby

Apporte un miroir de poche.
Tu le mettras sous le mufle
de l'animal. Si de la buée
apparaît dans la glace,
c'est que la momie respire.

Bloop ! Cling ! Dring !

Bêtabidule

Qui a un miroir de poche ?

Bloop ! Dring ! Zzz !

Gammascara

Moi ! Je te l'apporte tout
de suite. Attends-moi au
pied de l'escalier.

Cling ! Dring ! Zzz !

Alpha-Béa

> Tiens-nous au courant, Bêtabidule.

Bloop ! Cling ! Dring !

Bêtabidule

> Bien reçu.

10 h 14

604

Imaginez que vous êtes perdus au sommet du Grand Blanc. Vous aurez à construire un abri et à vous nourrir. Comment y parviendrez-vous ?

Pour répondre à cette question,
la lecture de trois des livres de
la bibliothèque de l'Auberge du
Grand Blanc s'impose: *Construire
et décorer une hutte en brindilles*, *Fourmis et sauterelles: mille
et une recettes alléchantes*, et
Chasser l'ours à mains nues.

Et si vous vous ennuyez dans
votre hutte, pourquoi ne pas lire,
pour le plaisir de frissonner, *Les
esprits de la forêt?*

Enfin, si vous vous intéressez
au sujet, vous pourrez aussi
consulter plusieurs livres sur
le sasquatch. Mais dites-moi:
réussiriez-vous à vous protéger de
lui, dans votre maison de brindilles,

s'il lui prenait l'envie de souffler dessus pour la faire s'envoler? D'ailleurs, comment réagiriez-vous si vous appreniez que le sasquatch en question est en fait un yéti momifié revenu à la vie? Existe-t-il des livres à ce sujet à la bibliothèque de l'auberge? Eh bien... c'est ce qui est le plus effrayant, non?

10 h 17

603

Béatrice, essoufflée, tente de suivre son groupe derrière monsieur Marc.

Ce dernier est dans une forme **SPECTACULAIRE.**

— **ALLEZ ! Réveillez vos muscles !** Après un tour du lac en raquettes, on va patiner. Levez les jambes plus haut !

Les muscles endoloris, Béatrice profite néanmoins de cette balade imposée pour observer les lieux. « On ne sait jamais, la bête blanche est peut-être passée par ici. »

Au bout d'une vingtaine de minutes, le groupe descend vers le lac. N'ayant trouvé aucun indice à ajouter à la liste de pièces à conviction, la jeune fille occupe son esprit en pensant à la devinette qu'elle a lue, ce matin, dans son cahier de jeux :

Marche et bouge sans
pourtant respirer

N'appartient ni à la vie
ni au trépas

10 h 24

Gammascara mélange les ingrédients secs d'un gâteau au chocolat.

— C'est un gâteau qu'on cuisine depuis des générations, explique madame Pointu. C'est le meilleur au

MONDE ! Même les créatures de la forêt en raffolent.

May-Lee tend l'oreille, **alertée.**

— Qu'est-ce que vous voulez dire ? demande-t-elle.

La cuisinière ouvre une boîte de lait condensé.

— Un été, j'avais cuisiné ce gâteau. Je l'avais posé juste ici, sur le comptoir, pour le faire refroidir. Je suis descendue épousseter le musée. Quand je suis remontée à la cuisine, un **OURS** était sur le balcon. Il regardait le gâteau à travers la porte-patio en se léchant les babines.

Cette anecdote fait **RIRE** tous les élèves, **SAUF MAY-LEE.**

— Est-ce que les portes et les fenêtres ferment bien, **ICI ?**

— **OUI ! N'AIE PAS PEUR !** Les ours ne viendront pas nous voler notre repas!

Les élèves regardent May-Lee avec amusement. La jeune fille baisse la tête sur son bol, irritée. « **C'EST VRAI ! J'AI PEUR !** N'empêche que je veille sur eux! J'aimerais voir leur tête, si un yéti se présentait sur le balcon!»

Bloop ! Cling ! Dring !

Bêtabidule

> La dimension des pieds de la momie correspond assez à l'empreinte décelée près du hangar. Par contre, les poils trouvés sous l'appentis ne concordent pas avec les siens. Et je n'ai vu aucune buée sous son nez. Elle m'a bien l'air morte.

Bloop ! Cling ! Zzz !

Delta-Derby

> Zut !

Bloop ! Dring ! Zzz !

Gammascara

> Ah… Est-ce que la momie retiendrait son souffle durant les visites ?

Cling ! Dring ! Zzz !

Alpha-Béa

> Pourquoi pas ? Les vampires dorment bien le jour dans des cercueils hermétiques. Ils ne doivent donc pas respirer pendant au moins douze heures. Ils sont ce qu'on appelle…

Tout à son échange de textos, Béatrice ne se rend pas compte que son enseignant et sa classe l'observent.

Tandis qu'elle pianote sur son écran, monsieur Marc lui demande :

— Comment appelle-t-on les animaux qui hivernent ?

La jeune fille répond du tac au tac :

— DES MORTS-VIVANTS !

La réponse de Béatrice provoque l'hilarité des élèves.

— **DES HIVERNANTS,** la corrige l'enseignant en levant les yeux au ciel. Range ton appareil et concentre-toi sur tes cours.

Honteuse et confuse, Béatrice voudrait répondre qu'elle est en train d'élaborer une mission de la plus haute importance, mais, pour ne pas empirer les choses, elle préfère obéir sans un mot.

Bloop ! Cling ! Dring !

Bêtabidule

Alpha-Béa ?

Bloop ! Dring ! Zzz !

Gammascara

Es-tu là ?

Bloop ! Cling ! Zzz !

Delta-Derby

Ça va ?

Autour de la table, les Zalphajusticiers discutent des derniers événements.

— On savait que vous étiez allés patiner, explique Delta-Derby à Alpha-Béa. Alors, on est sortis. De la pente à glisser, on a vu que tout était **sous contrôle.**

— J'ai eu l'air d'une **NOUILLE,** répond la jeune fille. Au moins, j'ai trouvé **la solution** à la devinette qui m'occupait depuis le matin. Mais comment avez-vous réussi à vous libérer pour sortir ?

— J'ai prétexté une envie subite, répond Bêtabidule en haussant les épaules.

— **MOI,** dit Gammascara, je me suis portée volontaire pour aller chercher du bois.

— **ET MOI,** intervient Delta-Derby, j'ai dit que j'avais besoin de dégourdir mon genou, qui devenait sensible à force de rester assis. Ce qui était un peu vrai.

Alpha-Béa porte un morceau de gâteau au chocolat à sa bouche.

— **MIAM! DÉLICIEUX!**

— **OUI, HEIN?**

Gammascara raconte à ses amis tout ce qu'elle sait de cette recette.

Soudain, Delta-Derby a une **idée:**

— Si la recette de madame Pointu stimule l'appétit d'un ours, elle pourrait bien réveiller une **MOMIE** !

Alpha-Béa repousse son assiette.

— Qu'est-ce que tu suggères ?

— On va lui en passer un morceau sous le nez cette nuit...

Alpha-Béa et Bêtabidule trouvent l'idée **GÉNIALE.** Gammascara, pour sa part, ne semble **pas très enthousiaste** à cette idée.

— Si on réussit à la réveiller, **ON FAIT QUOI, APRÈS ?**

Madame Nathalie se lève et demande l'attention de tous, mettant un terme à la conversation secrète des **Z.**

— Cet après-midi, nous allons tous en randonnée. Il paraît que la piste est magnifique, jusqu'à la montagne. Nous partons dans cinq minutes.

— **SUPER !** commente Delta-Derby, on va pouvoir agrandir notre périmètre de recherche !

— Et prendre des photos pour le journal, ajoute Bêtabidule.

— **Ouais...,** lâche Gammascara en croisant les doigts. J'espère que les signes et les rituels de protection d'**Irma Hata** nous préserveront du **MAUVAIS ŒIL.**

10

DANS LA PAIX DES BOIS

13 h 58

Les justiciers avancent dans le sous-bois, à la recherche d'un indice prouvant l'existence d'un abominable montagnard. **SANS RÉSULTAT.**

— Heureusement, le paysage est beau, dit Gammascara, **soulagée** de la tournure que prend la randonnée. Bêtabidule, pourrais-tu me photographier près de l'arbre, là, pour illustrer mon texte?

Bêtabidule prend quelques clichés de son amie. Puis, Gammascara le rejoint pour voir les photos.

— **WOW !** dit-elle en agrandissant une image. **MAIS... MAIS...**

Elle lève alors la tête et désigne un point, droit devant.

— Sous la neige et la mousse, **LÀ-BAS !** On dirait l'entrée d'une grotte !

— **BINGO !** On a trouvé la maison de notre yéti mort-vivant, s'exclame Delta-Derby. On est bons pour passer à *Expéditions dangereuses* !

— Est-ce que les abominables dorment le jour ? s'alarme Alpha-Béa.

— ÇA, JE L'IGNORE.

Un grognement sourd retentit entre les branches. « ÇA Y EST ! se dit Gammascara, pétrifiée. La bête est de retour ! »

GRRRRRRRRRRR !
SPLOUTCH !
AHHHH !

Delta-Derby reçoit une balle de neige en plein front.

Avant que les **Z** puissent faire quoi que ce soit, les branches bougent. La neige qui les recouvre tombe lourdement sur le sol avec un bruit mat. Figés, les quatre jeunes voient alors apparaître... **Luciano,** un fanfaron de la classe de Gammascara.

— **BOUH ! HA ! HA !** C'est rien que moi ! Je suis venu vous dire qu'on retourne à l'auberge pour la collation.

Le garçon tourne les talons, riant toujours, laissant les **4Z** pantois.

— Décidément, dit Bêtabidule, on a intérêt à ne plus jamais sortir sans Bêtarobot.

— **Ça va,** Delta-Derby ? demande Alpha-Béa, les jambes tremblantes.

— **OUI,** répond le garçon en se frottant le front. Ma bosse est toujours à sa place !

De nouveaux **BRUITS,** entre les branches, alertent les jeunes, qui, cette fois, détalent sans délai.

Pendant que les **4Z** courent du plus vite que leurs raquettes le leur permettent, monsieur Marc, qui surgit entre deux pins, chaussé de ses skis, les regarde en souriant. «Qu'est-ce qui peut leur faire aussi peur? Les bois sont si calmes. On y ressent une telle tranquillité.»

11

FRINGALE NOCTURNE

20 h 45

La nouvelle voulant que Luciano ait causé une bonne frousse aux quatre amis s'est vite répandue parmi les élèves, suscitant des **rires** et des **moqueries.** Delta-Derby, lui, n'entend pas à rire.

— **T'EN FAIS PAS,** lui dit May-Lee, en levant les yeux de l'autobiographie d'**Irma Hata**. Comme le dit la chanteuse espionne à la page 95,

« Être agent secret, c'est porter, dans l'ombre, le poids du monde sur ses épaules. »

— **JE SUIS D'ACCORD,** enchaîne Alpha-Béa. Est-ce que vous êtes prêts pour l'opération ?

Delta-Derby et Gammascara acquiescent. Quant à Bêtabidule, il répond tout en brassant les cartes d'un jeu de Skip-Bo :

— **PRÊT.** On fait une dernière partie ?

Monsieur Yves, qui est en train de boire une tisane avec ses collègues, regarde sa montre et se lève :

— C'est déjà l'heure de se coucher. Je vous demande donc de ranger les jeux et de monter aux dortoirs.

Dans le **BROUHAHA** qui s'ensuit, Alpha-Béa dit aux garçons, avant de quitter les lieux en compagnie de Gammascara :

— Je vous écris à minuit.

23 h 57

Cachée sous ses couvertures, Alpha-Béa cherche un mot de dix lettres commençant par un **C** et signifiant **« DÉGUISEMENT »,** tandis que

Gammascara écoute le dernier album de la chanteuse espionne.

0 h

Dans le dortoir, tout le monde dort à poings fermés. Madame Nathalie, d'ailleurs, ronfle comme un dragon.

Cling ! Dring ! Zzz !

Alpha-Béa

Rendez-vous au pied de l'escalier.

Bloop ! Dring ! Zzz !

Gammascara

Présente !

Bloop ! Cling ! Zzz !

Delta-Derby

Je descends.

Bloop ! Cling ! Dring !

Bêtabidule

10-4

0 h 2

Son **robot** entre les bras, Bêtabidule descend l'escalier en tentant de faire le moins de bruit possible. Delta-Derby le suit de près.

— **SALUT !** leur souffle Gammascara. Bêtabidule, peux-tu envoyer Bêta-robot à la cuisine ? On va s'assurer qu'il n'y a personne sur place.

167

Bêtabidule met son automate en marche. Celui-ci fait aussitôt entendre des **RRR! COUIC! RRR! COUIC!** affolants.

— Il manque un peu d'huile, explique Bêtabidule, gêné.

— J'espère qu'on ne réveillera personne, murmure Alpha-Béa, les nerfs à vif. Qu'est-ce que ça dit, dans ton écran?

— **LA VOiE EST LIBRE.**

Sur un signe de Delta-Derby, les espions se glissent dans la cuisine. Alors qu'Alpha-Béa guette l'entrée, Gammascara se dirige vers le comptoir. C'est là que madame Pointu a rangé les restes du gigantesque gâteau au chocolat, sous une énorme cloche de verre. Elle la soulève, tandis que Bêtabidule ouvre doucement une armoire pour y prendre une assiette à dessert. De son côté, Delta-Derby tire un couteau d'un tiroir. Il est nerveux : de quoi auraient-ils l'air si on les surprenait ?

Les garçons apportent l'assiette et l'ustensile à Gammascara. Celle-ci coupe un petit morceau de gâteau et le pose dans l'assiette. Elle remet ensuite la cloche en place.

— **ALLONS-Y,** chuchote Bêtabidule.

RRRR ! COUiC ! RRRR ! COUiC ! RRRR ! COUiC !

Les **Z** suivent Bêtabidule à la queue leu leu jusqu'à l'escalier qui mène au sous-sol. Là, ils s'immobilisent. Alpha-Béa tend l'oreille. Rien à signaler. L'auberge est bel et bien endormie. « Comme dans *La Belle au bois dormant,* pense Gammascara. Sauf qu'ici, c'est une **momie,** plutôt qu'une **princesse,** qui dort d'un sommeil magique. En tout cas, ce n'est **PAS MOI** qui l'embrasserai pour la réveiller. »

— **ON Y VA?** demande Alpha-Béa.

— **OUI,** répond Bêtabidule. Comme il fait noir, Bêtarobot va passer devant en nous éclairant le chemin. Je vais marcher derrière.

— **D'ACCORD,** répond Delta-Derby. Je vais te suivre avec l'assiette. Aussitôt qu'on arrive à la momie, je lui mets le gâteau sous le nez. Si ça tourne mal, vous courrez.

Les justiciers sont anxieux. Cette mission pourrait bien être leur dernière.

— **ATTENDEZ !** dit Gammascara en sortant un rouleau de papier de la poche de son pyjama. J'ai rédigé une **invocation** en m'inspirant des Égyptiens, qui s'y connaissent pas mal dans le domaine des momies.

Elle inspire longuement avant de se mettre à lire :

Ô momie inconnue,

Je t'ordonne de retrouver

Le chemin qui mène

Aux dieux ancestraux

Dors! Dors! Dors!

Anubis te tend les bras!

Wouf! Wouf! Wouf!

Grrrr! Zzz!

Ses amis échangent des regards perplexes.

— **BiEN OUi! Anubis,** dieu égyptien des morts, a une tête de chien. Logiquement, il doit japper. C'est pour ça que j'ai ajouté des **zoo-nomatopouites** à mon texte.

— **DES ONOMATOPÉES,** la corrige Alpha-Béa.

— **C'EST ÇA,** au cas où la momie ne comprendrait pas le français.

La jeune fille brandit ensuite un vaporisateur. **POUiiiiiiiiCCCCHHH!**

— **POUAH!** Qu'est-ce que c'est? demande Delta-Derby en pinçant les narines.

— C'est du *Sommeil éternel,* le nouveau parfum d'**Irma Hata**. Il y a de l'huile essentielle de lavande dedans. Dans la publicité, elle en vaporise un léopard qui s'endort doucement à ses pieds. J'imagine que ça pourra nous aider.

— Alors, dit Alpha-Béa, si vous êtes prêts, allons-y et... **BONNE CHANCE !**

Bêtarobot se met en marche. Il s'arrête devant la porte du musée. Bêtabidule le rejoint. Il tourne la poignée de la porte, qui n'est pas verrouillée. Celle-ci grince sur ses gonds. Bêtabidule, surpris, s'immobilise. Trois secondes passent. Rien ne bouge dans l'auberge.

Sur un signe de Delta-Derby, les **42** se remettent en mouvement. Heureusement qu'ils ont Bêtarobot : sans ses yeux lumineux, leur mission aurait été **impossible.** Le musée est tellement sombre ! Seules ses odeurs sont perceptibles : celles du vieux cuir, de l'encre, du bois, des champignons, du formol et du fauve, qui elle, bizarrement, est moins présente, ce soir. « **Étrange,** songe Gammascara. Peut-être que mon odorat a été altéré par le parfum de lavande. »

Quand ils arrivent devant l'emplacement où est exposée la momie, Bêtarobot illumine un **SARCO-PHAGE... VIDE !**

— **HEIN ?** Où est-ce qu'elle est ? demande Delta-Derby, éberlué.

— **JE NE SAIS PAS,** chuchote Bêta-bidule, mais elle est partie sans bruit…

— Comme une **OMBRE MOR-TELLE,** ajoute Gammascara d'une voix tremblante.

— Comme un fantôme qui revient à la vie, lâche Alpha-Béa, qui se retient pour ne pas crier.

Un **craquement** se fait entendre à l'étage, faisant se dresser les cheveux des agents secrets.

— Elle est au salon, souffle Bêtabidule.

— **ALLONS-Y,** dit Delta-Derby, déterminé malgré sa peur.

— **ATTENDEZ !** On devrait faire une chorégraphie de protection, suggère Gammascara.

— **PAS LE TEMPS !** la coupe Delta-Derby. **VENEZ !**

Les **4Z** remontent au rez-de-chaussée en retenant leur souffle. À l'étage, Delta-Derby balaie les lieux du regard.

— **LÀ !** fait Alpha-Béa. **DES TRACES ! PAR TERRE !**

Sur le plancher, on peut en effet voir des flaques, d'une taille semblable à celle de l'empreinte qu'ils ont photographiée près du hangar.

— C'est de la **neige fondue,** murmure Bêtabidule.

— Elles viennent du salon et font demi-tour vers la cuisine, remarque judicieusement Gammascara.

— **ALLONS-Y,** dit Delta-Derby, tenant toujours l'assiette à bout de bras.

Bêtabidule remet son robot en marche, question de voir le **YÉTI MOMIFIÉ** sur l'écran avant de le rencontrer en **chair** et en **griffes.** Or, la roue défectueuse de l'automate émet un tel vacarme qu'Alpha-Béa craint qu'il fasse fuir la bête et réveille toute l'auberge.

— Il n'y a rien dans la cuisine, assure le garçon, les yeux rivés sur son téléphone.

Impatient de passer à l'action, Delta-Derby s'élance dans la cuisine, suivi par ses amis. Une odeur pestilentielle les accueille.

— **POUAH! OH!** Le gâteau a **DISPARU!** chuchote Gammascara en désignant le comptoir.

En effet, sous la cloche, l'assiette est vide. De toute évidence, le fameux gâteau de madame Pointu a réveillé la momie.

— **LÀ! D'AUTRES EMPREINTES!** s'exclame Bêtabidule. D'après moi, le yéti est entré, s'est dirigé vers le comptoir, a marché vers le salon. Là, il a tourné les talons et est sorti.

Les **ZALPHAS** dirigent leurs regards vers le faisceau lumineux projeté par Bêtarobot. Bêtabidule, tel un professionnel, prend des clichés de ces nouvelles preuves.

— **OH-OH !** Avant de sortir, il s'est débarrassé de l'une de ses bandelettes, lâche Alpha-Béa avec émotion.

La jeune fille se rend à la poubelle, tire sur une **languette de coton à fromage** qui en dépasse, montre le tissu à ses amis et range cette **nouvelle pièce à conviction** dans la poche de sa robe de chambre.

— On possède maintenant la preuve qu'on a bel et bien affaire à la momie, constate Alpha-Béa. On sait aussi qu'elle est affamée, ce qui est normal, après avoir dormi pendant des milliers d'années.

— Moi, dit Gammascara, je me demande pourquoi elle est allée au salon avant de revenir sur ses pas.

— Probablement qu'elle a senti notre odeur, répond Delta-Derby.

— Mais elle semble avoir préféré celle du gâteau, ajoute Bêtabidule.

Tandis que les journalistes échangent leurs impressions, une **ombre** avance dans l'obscurité. Arrivée dans l'embrasure de la porte de la cuisine, **L'OMBRE SOUFFLE,** les faisant sursauter :

— Qu'est-ce que vous manigancez ?

MONSIEUR YVES !

— **EUH...** on avait un **petit creux,** répond confusément Delta-Derby.

— Vous deviez avoir faim pour manger tout ce qui restait du gâteau…

— **BEN... PFFF... EUH...,** bredouille Gammascara, rougissante.

— **AH...** en plus, **ÇA PUE, iCi...** Qu'est-ce que vous avez fait? En tout cas, essuyez le plancher et montez aux dortoirs.

— **Tout de suite,** répond Bêta-bidule, en saisissant un linge à vaisselle.

Penché sur l'une des flaques, l'agent secret continue son enquête, mine de rien. Sa perspicacité est récompensée, puisque, près du comptoir, il trouve une **touffe de longs poils blancs,** légèrement différents de ceux qu'il a trouvés dans l'appentis. Il s'en empare, les cache dans la paume de sa main.

Quand le ménage est terminé, l'enseignant raccompagne les élèves à l'escalier. Bêtabidule profite d'un moment d'inattention de monsieur Yves pour montrer les poils à ses amis, qui accueillent cette nouvelle découverte les yeux écarquillés.

Les **42** montent aux dortoirs en silence pour ne pas éveiller les soupçons de leur enseignant. Mais sitôt arrivés à leurs lits, ils se cachent sous leurs couvertures pour poursuivre leur réunion.

Bloop ! Dring ! Zzz !

Gammascara

Pourvu qu'on survive à la nuit !

Bloop ! Cling ! Zzz !

Delta-Derby

Pas sûr. J'ai déjà vu un film dans lequel un yéti entrait dans un chalet et…

Cling ! Dring ! Zzz !

Alpha-Béa

Stop !

Bloop ! Cling ! Dring !

Bêtabidule

J'ai mis la deuxième touffe de poils dans un sac. Dessus, j'ai écrit : « Pièce à conviction n° 5 ».

Cling ! Dring ! Zzz !

Alpha-Béa

À qui sont les autres poils ?

Bloop ! Dring ! Zzz !

Gammascara

La bête les a peut-être perdus en muant, l'automne dernier.

Bloop ! Cling ! Zzz !

Delta-Derby

Je parie plutôt qu'ils appartiennent à la belle du yéti ou à l'un de leurs enfants. Nous en saurons plus demain, en visitant la grotte…

Bloop ! Dring ! Zzz !

Gammascara

La grotte ? Vraiment ?

Bloop ! Cling ! Dring !

Bêtabidule

On devrait dormir. On y verra plus clair à tête reposée. Bonne nuit.

Son appareil éteint, Erby, incapable de dormir, imagine les pires scénarios mettant en scène le yéti momifié. De son côté, Bêtabidule dresse mentalement le bilan mécanique de son robot. À part sa roue, qu'il faudrait huiler, il est apte à faire une balade dans la forêt.

Dans le dortoir des filles, Béatrice, pour tromper sa peur, se concentre sur son cahier de jeux. «Finalement, quel mot commence par un **C** et est synonyme de déguisement? **"Camouflage". MAIS OUI! C'EST CLAIR!»**

Pour sa part, Gammascara médite sur un passage de l'autobiographie de son idole.

Immobile comme une image
Se fondre dans le paysage
Retenir sa respiration
Contenir ses émotions
Le cœur battant lentement
Entrer dans un sommeil blanc

« Qu'est-ce que ça veut dire, un **sommeil blanc ?** se demande Gammascara. Est-ce que c'est dormir dans un igloo ? À la belle étoile, couchée sur la neige ? »

La tête remplie d'interrogations et de flocons, May-Lee est bientôt emportée dans un **SOMMEIL AGITÉ,** dans lequel une momie déroule ses bandelettes pour dévoiler un **yéti immaculé...** aux yeux injectés de **sang.**

DANS LA TEMPÊTE

Mercredi, 6 h 38

Des éclats de voix réveillent Louis-Benjamin et Erby.

— IL Y A UNE TEMPÊTE !

Les deux garçons bondissent de leurs lits et s'élancent vers les fenêtres. Ils constatent alors qu'il neige et vente si fort qu'on ne voit rien du tout à l'extérieur. L'auberge est dans le **BLANC TOTAL. LE BLANC EXTRÊME.**

— Est-ce qu'un **yéti momifié** a le pouvoir de souffler la tempête? demande Bêtabidule.

— Dans *La momie,* un film des années quatre-vingt-dix, un prêtre momifié vivant, dévoré par des scarabées et ressuscité, est capable d'engendrer des tempêtes de sable. **ALORS, OUI,** j'imagine qu'une momie du Népal peut en effet produire des blizzards et des avalanches…

Cling ! Dring ! Zzz !

Alpha-Béa

Rendez-vous à la cuisine !

— J'ai tellement réfléchi sur la blancheur, avant de m'endormir, raconte Gammascara en jouant avec sa serviette de table, que mon subconscient a appelé la tempête. Mon intuition vient d'atteindre un nouveau niveau : je ne sens plus les choses, **JE LES PROVOQUE.**

— Sans vouloir t'insulter, May, réplique Alpha-Béa en ouvrant un pot de confitures aux fraises, je pense que ton **intuition** n'a rien à voir avec la **tempête.**

Madame Manon, qui parlait au cellulaire, met un terme à sa conversation, se lève et demande le silence :

— Je viens de parler avec monsieur le directeur. À cause des conditions routières, on ne peut pas venir nous chercher. Nous resterons donc ici une journée de plus.

Des cris de **JOiE** répondent à cette annonce. L'enseignante continue :

— On va reprendre les cours, comme d'habitude, après le déjeuner.

À la suite de ces nouvelles, les jeunes se mettent à discuter. Certains sont **contents** de la tournure des événements. D'autres **s'affolent.** Dans leur coin, les **4Z** font le point :

— Est-ce qu'on devrait parler de notre enquête à nos enseignants ? demande Gammascara, qui gribouille

des signes protecteurs sur son nappe-
ron de papier.

— **NON,** répond fermement Delta-
Derby. Avez-vous pensé à la **panique**
qui s'ensuivrait ? Imaginez les élèves
qui se sauvent dans la tempête…

— **OUAIS…,** ajoute Alpha-Béa.
Même les aubergistes ont l'air d'igno-
rer ce qui leur pend au bout du nez.

Les jeunes tournent la tête. Au fond
de la salle à manger, monsieur et
madame Pointu discutent tranquille-
ment avec les enseignants.

— **QU'EST-CE QU'ON FAIT,
ALORS ?** demande Gammascara. On
attend que la bête nous rende visite ?

— **MOI,** répond Delta-Derby, j'irais plutôt **VISITER SA GROTTE...**

Alpha-Béa pousse une exclamation étouffée.

— On ne va pas se jeter dans **LA GUEULE DU OU DES YÉTIS !**

Un coup de sifflet sec impose le silence.

— **L'ÉCOLE COMMENCE !** annonce monsieur Marc.

Pendant que les élèves quittent la salle à dîner, les Zalphas concluent leur réunion.

— Pensez au projet de Delta-Derby, dit gravement Alpha-Béa. On

prendra une décision à la récréation.
En attendant : **PRUDENCE.**

8 h 2

603

Liste de pièces à conviction

1. Empreinte dans la neige,
   photographiée devant
   le hangar

2. Poils blancs à la pointe
   blonde, prélevés sous
   l'appentis

3. Traces relevées au salon
   et dans la cuisine

4. Bandelette de coton à fromage, prise dans la poubelle

5. Poils longs et blancs, trouvés dans la cuisine

Alpha-Béa pose son crayon. La tête entre les mains, elle se met à songer au film *Au nord du Nord, la mort,* qu'elle a vu avec ses amis l'été dernier. Au cours de cette histoire, qui se passe au pôle Nord, les membres d'une expédition écologique se retrouvent seuls au monde après une grosse tempête. Les communications étant coupées, ils ne peuvent pas envoyer de messages de **détresse.** Comble de la terreur, une **BÊTE**

DÉMONIAQUE endormie dans un **bloc de glace** depuis la préhistoire se réveille à cause du réchauffement climatique. Ce qui fait qu'elle s'évade pendant la tempête, découvrant le campement des chercheurs.

Bientôt, le monstre affamé se met à **ENLEVER** les membres de l'expédition. Il en dévore un par soir. À la fin, il ne reste que le capitaine, qui note tout dans son carnet de bord. Il se sait condamné à une mort abominable. Or, juste au moment où il referme son cahier, l'ombre de la patte du monstre apparaît sur la toile de sa tente. Puis, tandis qu'on entend des **hurlements** et des **grognements,** on voit, sur l'écran noir, des lettres rouges dégoulinantes qui forment le mot **FAIM.**

Alpha-Béa regrette d'avoir visionné ce film, car depuis, elle pense souvent au monstre, surtout la nuit.

Classe de neige, jour 3

Personne ici ne sait qu'une momie s'est volatilisée et qu'un monstre rôde autour de l'auberge. Grâce à la pièce à conviction n° 4, nous savons maintenant que les deux ne font qu'un. D'après les échantillons de poils que nous avons trouvés, nous pensons d'ailleurs qu'ils sont au moins deux.

C'est ce que nous découvrirons en allant visiter la grotte dont nous avons aperçu l'entrée hier au cours d'une promenade. À défaut de capturer le ou les monstres, nous réussirons peut-être à photographier leur environnement. J'espère que nous survivrons à cette expédition.

8 h 13

602

Ses écouteurs dans les oreilles, May-Lee se laisse porter par la musique d'**Irma Hata** tout en poursuivant le récit de l'espionne énigmatique.

Ils cheminèrent un bout de temps sur un sentier accidenté avant de s'arrêter. L'espionne avait beau avoir la tête en bas, ce qui l'étourdissait, elle avait appris à lire l'heure à travers les réactions de son corps face à la nature. Aussi, elle put déduire, aux frissons qu'elle ressentait aux mollets, qu'il était dix-huit heures et qu'il faisait environ -32 degrés Celsius.

On la déposa un peu brutalement sur une butte. Où étaient-ils? L'espionne tendit l'oreille. Une porte grinça longuement. «Nous sommes devant un hangar», songea-t-elle.

Des pas crissant sur la surface enneigée s'approchèrent à nouveau de la femme. On la redressa sur ses pieds avant de l'entraîner vers l'entrée de la bâtisse.

May-Lee pose son crayon, enlève un écouteur et demande à madame Manon la permission d'aller aux toilettes. Son enseignante lève les yeux d'un livre intitulé *Activités amusantes en forêt: pour croire à l'aventure*. Elle fait entendre un **« HAN-HAN »** que May-Lee prend pour un oui. La jeune fille quitte donc la salle et longe le corridor en fredonnant.

OH! À côté des toilettes se trouve une porte qu'elle n'avait pas encore remarquée. **OÙ MÈNE-T-ELLE?**

QUE CACHE-T-ELLE ? En agente secrète ultra curieuse, May-Lee pose la main sur la poignée et ouvre la porte mystérieuse. Elle découvre alors un **placard** plein à craquer.

La jeune fille, un peu déçue, veut refermer la porte, quand une boîte lui tombe sur la tête avant d'atterrir sur le plancher en bois vernis.

Aussi **SURPRISE** que **SONNÉE,** Gammascara regarde à gauche et à droite. Personne en vue. Elle en profite donc pour ramasser les effets qui se sont échappés de la boîte : des jumelles, un casque de camouflage couvert de branches, des lunettes comme elle en a déjà vu dans une vidéo sur le pôle Nord, et qu'on utilise pour se protéger des reflets du soleil sur la neige, et un rouleau de corde d'alpinisme. «Tout ce qu'il faut pour notre sortie à la grotte.»

La jeune fille referme la porte en la poussant de toutes ses forces. «Je comprends maintenant ce que veut dire **Irma Hata**, quand elle écrit : "Le hasard n'existe pas. Tout arrive toujours à point."»

8 h 27

604

Dans le silence de la bibliothèque, Erby écrit :

La bibliothèque de l'Auberge du Grand Blanc ne possède aucun livre sur les yétis momifiés, vivant seuls ou en bande. Par contre, on y trouve:

- *Guide de survie à l'usage des aventuriers aux prises avec des créatures dont ils ne soupçonnaient pas l'existence;*

- *Au secours! Un abominable homme des neiges!*

Est-ce que ces livres répondront aux questions que je me pose en ce moment? Je le souhaite fort. Quoi qu'il en soit, ils feront partie des bagages que j'emporterai pour une mission de la plus haute

importance et dont je vous entre-
tiendrai dans un prochain article, si
j'en ai la chance.

8 h 46

601

— Louis-Benjamin?

— **OUI, MADAME?**

— Voudrais-tu aller dans le garde-
manger pour y chercher du sucre
en poudre?

Le garçon hoche la tête avant de se
diriger vers la porte que lui désigne
l'aubergiste. Autour, les élèves

s'affairent à cuisiner des biscuits à la marmelade, sur lesquels la cuisinière souhaite saupoudrer du sucre en poudre, «pour faire comme de la neige».

— Tu vas le trouver sur la deuxième tablette. Dans un pot en verre.

L'adolescent ouvre la porte du garde-manger. Il y fait noir comme chez le **loup.** Aussi, il tire sur une ficelle attachée à une ampoule. **PAS DE CHANCE!** L'ampoule est brûlée.

— **CROTTE DE SASQUATCH!** lance madame Pointu, contrariée. J'ai les mains dans la pâte!

— Pas de problème. On a Bêtarobot!

À l'aide de son téléphone, le garçon réveille son automate. Il le guide ensuite vers le garde-manger, sous le regard amusé de ses camarades. Le robot entre. Ses yeux s'allument. L'inventeur réalise alors combien ce placard est grand, comme s'il n'avait pas de fond. « **HUM...,** songe tout à coup le garçon, si on lançait discrètement Bêtarobot en **exploration** dans les **recoins** de l'auberge ? »

Louis-Benjamin referme la porte de la dépense et tend le pot de sucre à la cuisinière, qui le remercie :

— Une chance qu'on vous a, **TOi ET TON ROBOT !**

Louis-Benjamin retourne à sa place. Faisant mine de ranger son appareil, il le place plutôt en modes caméra, enregistrement et mouvement. Il glisse ensuite son téléphone dans la poche de son jeans et, à la demande de son enseignante, va laver la vaisselle.

9 h 46

C'est en mangeant des brioches à la cannelle que les **ZALPHA-JUSTICIERS** votent au sujet de la proposition de Delta-Derby.

— **MOI,** dit Gammascara, je pressens le danger. Mais c'est le devoir des **4Z** d'élucider les **PHÉNOMÈNES INEXPLIQUÉS...**

— D'après mes lectures, dit Delta-Derby, l'expédition sera **pire** que tout ce qu'on peut imaginer.

— **SANS PLAN, C'EST RISQUÉ,** intervient Alpha-Béa, pensive. D'ailleurs, avec la tempête, ce serait vraiment imprudent. Qu'est-ce que tu en penses, Bêtabidule ?

Le garçon, qui a le regard vissé à son cellulaire depuis le début de la conversation, tourne l'écran du côté de ses camarades et annonce :

— On va pouvoir facilement se rendre à la grotte grâce à un **tunnel secret.**

— **HEIN ?**

— D'après les images que Bêtarobot a captées, on peut penser que le garde-manger et le hangar-laboratoire sont reliés par un **passage souterrain.**

Les **agents secrets** comprennent vite où leur camarade veut en venir.

— Sortis du hangar, on serait presque rendus à la grotte, remarque Delta-Derby, enthousiaste.

— Mais comment quitter nos groupes sans qu'on se fasse **REMARQUER ?** demande Gammascara.

Madame Nathalie annonce la fin de la récréation. Des **CRIS** de déception lui répondent. Elle sourit :

— Si ça peut vous encourager, dès que la tempête aura cessé, on va aller jouer dehors!

Les **4Z**, qui saisissent ce que cette sortie implique, échangent des regards entendus.

— Un autre signe du destin, proclame Gammascara avec un frisson.

20 h 58

La tempête, loin de diminuer d'intensité, perdure toute la journée et toute la soirée. Tant et si bien qu'on en vient à se demander si l'auberge ne se retrouvera pas ensevelie sous la neige.

— C'est déjà arrivé, raconte madame Pointu. De la neige était tombée presque **JUSQU'AU TOIT**. Pour sortir de la maison, on avait dû creuser un tunnel.

Calés dans un grand fauteuil, les Zalphas écoutent l'aubergiste avec attention.

— Au moins, la tempête nous protège du **yéti momifié** et peut-être même de **ses amis,** souffle Gammascara à l'oreille de Delta-Derby.

— En fait, on ne sait pas où est le monstre. Il est peut-être caché dans le dortoir des filles. Il attend que vous soyez endormies pour sortir de sa cachette et…

Le garçon pince le bras de son amie, lui arrachant un **CRI**. Tout le monde se tourne vers eux.

— Ils sont encore en train de se raconter des peurs, dit monsieur Yves en bâillant. À vos dortoirs, **TOUT LE MONDE !**

Les élèves souhaitent bonne nuit à leur hôte et montent à l'étage en discutant de la tempête. « Ils auront tout vu, disent-ils, excités. »

« **NON,** songe sombrement May-Lee, **VOUS N'AVEZ ENCORE RIEN VU !** J'imagine déjà les grands titres dans le journal, demain matin : *Carnage à l'auberge : tous les détails sur l'attaque de yéti mort-vivant.* »

★ 👓 ★

22 h 57

— Est-ce que tu dors, **ERBY** ?

— **NON.**

— T'en fais pas : demain, on va être partis d'ici.

— **DOMMAGE.** On est passés à un poil de prouver l'existence d'un yéti mort-vivant.

— **BAH !** Moi, j'aime autant repartir avec tous mes morceaux.

Des pas s'approchent des lits des garçons.

— **LES GARS... CHUT !**

— **OUI,** monsieur Marc. Bonne nuit, Erby.

— **C'est ça.** Fais de beaux rêves...

13

PiÉGÉS À L'AUBERGE

Jeudi, 6 h 48

À leur réveil, les élèvent constatent avec **JOiE** que la tempête s'est apaisée. Pour ajouter à leur bonheur, madame Pointu a cuisiné des crêpes aux petits fruits.

— Vos bagages sont prêts, **LES GARS ?** demande Alpha-Béa en épluchant une orange.

— **OUI,** répond Delta-Derby, marabout.

Dans un coin de la salle à dîner, les enseignants discutent avec monsieur Pointu, tandis que madame Manon parle au téléphone. Au bout d'une minute, l'enseignante pose son cellulaire. Elle fait un signe à monsieur Marc, qui se lève :

— **UN MOMENT D'ATTENTION...** La compagnie d'autobus vient de nous appeler. À cause de la tempête d'hier, la route est glacée. On ne peut donc pas venir nous chercher aujourd'hui.

Les élèves écoutent l'enseignant, inquiets. Ce dernier poursuit gravement :

— Après avoir parlé avec monsieur le directeur, on a décidé de dormir une nuit de plus à l'auberge.

Un **lourd silence** accueille les propos de monsieur Marc, qui s'exclame :

— Ce qui fait qu'on va pouvoir jouer au hockey !

Des **HOURRAS** retentissent.

— **Ouais...,** soupire Gammascara, le cœur lourd. On dirait qu'on est piégés à l'auberge.

— **C'EST GÉNIAL !** rétorque Delta-Derby qui, lui, a retrouvé sa bonne humeur. On va pouvoir faire notre expédition !

— Et expérimenter les nouvelles applications de Bêtarobot, ajoute Bêtabidule, qui cherche à trouver le bon côté de la situation.

— **D'ACCORD,** lâche Alpha-Béa en sortant son calepin. Mais gardons en tête cet **ABCD :**

<u>A</u>LERTE !
SOYONS AUX AGUETS !

<u>B</u>ÊTAROBOT NE CRAINT PAS LA BÊTE. LAISSONS-LE *BÊTAOPÉRER.*

<u>C</u>ACHONS-NOUS ET, AU BESOIN, COURONS !

<u>D</u>ANGER ! EN CAS DE DOUTE, APPELONS À L'AIDE.

Les justiciers hochent gravement la tête.

— Et d'ici l'expédition, ajoute Alpha-Béa, préparons-nous sérieusement.

SUR LES TRACES DU MONSTRE

11 h 53

Cling ! Dring ! Zzz !

Alpha-Béa

Rendez-vous à la salle à dîner.

Bloop ! Dring ! Zzz !

Gammascara

J'ai réussi à prendre le matériel que j'ai trouvé hier dans la penderie. Je descends.

Bloop ! Cling ! Zzz !

Delta-Derby

 J'arrive.

Bloop ! Cling ! Dring !

Bêtabidule

★ 👓 ★

12 h 48

Sous le ciel blanc, l'ambiance est à la fête. Les élèves se promettent un après-midi extraordinaire. Comme leurs camarades, les **ZALPHAS** vont donner leur présence à leurs enseignants avant de faire la file pour emprunter des raquettes. Ils se dirigent ensuite vers l'entrée de l'auberge. Ils profitent d'un moment où personne ne leur porte attention pour entrer.

À l'intérieur, ils enlèvent leurs bottes pour éviter de laisser de traces. En **catimini,** ils traversent le salon.

Dans la cuisine, Bêtabidule ouvre la porte du garde-manger et y installe son automate. Puis, il se retourne vers ses amis.

— Voulez-vous toujours partir en mission ?

En guise de réponse, Alpha-Béa tend le poing. Ses compagnons font de même.

– ALPHA !

– BÊTA !

– GAMMA !

– DELTA !

Ils entrent dans le placard en fermant
la porte derrière eux.

15

DANS LE PASSAGE SECRET

Les yeux de Bêtarobot s'allument. Bêtabidule dirige leur faisceau vers les tablettes pleines de victuailles. Il ouvre ensuite son sac à dos.

— **QU'EST-CE QUE TU FAIS ?** chuchote Gammascara.

— Je prends des provisions, répond le jeune homme en saisissant une boîte de biscottes, des sardines, un pot de limonade et des guimauves.

— J'espère que les aubergistes ne seront pas fâchés qu'on se serve **SANS PERMISSION,** lâche Alpha-Béa, mal à l'aise.

— Si on délivre l'auberge d'un yéti mort-vivant, ils vont nous remercier, réplique Delta-Derby. En passant, j'ai aussi des *jerkies* Purboeuf pour au moins trois jours.

Bêtabidule ferme son sac et pousse une porte qui donne sur un long corridor obscur.

— SUIVEZ-MOi.

Les justiciers, nerveux, s'engagent dans le tunnel. Qui vont-ils rencontrer en chemin ? Comment feront-ils pour se sauver, en cas d'urgence? Chose certaine, à la **puanteur** qui règne en ces lieux et qu'ils reconnaissent d'emblée, ils peuvent sans nul doute possible affirmer que le **YÉTI EST PASSÉ DANS LE COIN** il y a peu de temps.

C'est donc en souhaitant ne pas rencontrer la bête qu'ils avancent à la **QUEUE LEU LEU** dans l'étroit passage.

— On dirait qu'on descend, murmure Gammascara.

— **C'EST SÛR,** répond Delta-Derby, le hangar est en bas de la côte.

— **VRAIMENT ÉTRANGE,** chuchote Alpha-Béa. Pourquoi un passage souterrain ?

— Encore un **mystère** à élucider, répond Bêtabidule. En tout cas, le yéti, lui, connaît les lieux.

— Ce qui veut dire qu'il était encore plus près qu'on le pensait, conclut Delta-Derby. Si ça se trouve, il est venu nous renifler pendant qu'on dormait.

— **ARRÊTE !** l'avertit Gammascara. C'est assez **épeurant** comme ça !

Bêtabidule interrompt ses amis :

— **ON ARRIVE !**

Devant eux se dresse une lourde porte en bois. Le garçon la pousse. Elle s'ouvre par à-coups.

Tel que Bêtabidule l'avait prévu, de l'autre côté se trouve le **laboratoire.**

— Cet endroit me donne la **CHAIR DE POULE,** souffle Gammascara. Regardez, ces créatures dans le formol. C'est tout simplement... comment dire ?

— **CAUCHEMARDESQUE ?** suggère Alpha-Béa.

— Tu m'enlèves les mots de la **tête,** Béa...

— Habituellement, on dit « les mots de la **bouche** »...

— Les filles, amenez vos **têtes** et vos **bouches.** On vous attend, dit Delta-Derby, impatient.

Bêtabidule jette un regard sur les lieux.

— Il faut trouver une sortie : la porte d'entrée est barrée de l'extérieur.

— **PAS DE PROBLÈME,** répond Delta-Derby. Il y a une fenêtre au fond.

Le garçon approche une chaise de l'ouverture.

— Je passe le premier. Ensuite, je vais vous aider à traverser.

Delta-Derby sort, suivi de Bêtabidule et d'Alpha-Béa. Enfin, Gammascara quitte le local. Elle va refermer la fenêtre quand deux globes oculaires, flottant dans un bocal au sommet d'une étagère, attirent son attention.

— **AVEZ-VOUS VU?** demande-t-elle à ses amis, impressionnée.

— Tu parles des yeux dans le vinaigre? rigole Delta-Derby.

— **C'EST PAS DRÔLE!** le gronde May-Lee. Je sens qu'ils veulent nous mettre en garde.

— Chose certaine, répond Delta-Derby, on a une belle vue d'ici.

En effet, du hangar, les espions peuvent voir les élèves et les enseignants glisser et patiner tout en haut.

— Si on ne veut pas être repérés, intervient Bêtabidule, je propose qu'on entre le plus vite possible dans la forêt.

Ils enfilent donc leurs bottes et leurs raquettes, et se mettent en route **SANS SE DOUTER QU'ON LES OBSERVE.**

16

DEVANT L'ANTRE
DE LA BÊTE

— **COMMENT FAIRE** pour retrouver la grotte? demande Gammascara en enfilant les lunettes d'explorateur du Grand Nord.

— En suivant Bêtarobot.

Bêtabidule pose son automate sur la neige après lui avoir enfilé des skis. Il continue :

— Lors de notre dernière sortie, j'ai enregistré les coordonnées géographiques sur mon cellulaire. Je les ai ensuite intégrées à la mémoire de Bêtarobot.

— **BRAVO!** le félicite Alpha-Béa en prenant les jumelles que lui tend Gammascara.

Le garçon sourit, **fier de lui.**

— Pour retrouver notre chemin, j'ai aussi rempli ses bêtadistributeurs d'une bêtapeinture phosphorescente écologique et résistant aux intempéries que j'ai créée lors de mes ateliers d'expérimentation libre.

Gammascara écoute Bêtabidule, tout en tendant le casque couvert de branches à Delta-Derby.

— Qu'est-ce que tu veux que je fasse **AVEC ÇA ?**

— Il va te protéger la tête. Tu vas en avoir besoin.

Le garçon coiffe le casque en bougonnant. La jeune fille donne ensuite un rouleau de corde d'alpinisme à Bêtabidule.

— On peut y trouver toutes sortes d'utilités. **Irma Hata**, par exemple, en fait de jolies ceintures.

— **MERCI.**

Bêtabidule met son automate en marche. Celui-ci se met à glisser doucement sur la neige en lâchant un jet de peinture. Les **ZALPHAS** le suivent et s'enfoncent sous les grands pins enneigés. «On dit qu'il faut se méfier des **eaux qui dorment. Qu'est-ce qui en est des forêts ?** » se demande Alpha-Béa, inquiète.

15 h 47

— D'après les coordonnées de Bêtarobot, on est près de la grotte, dit Bêtabidule.

— **RiEN À SIGNALER,** répond Alpha-Béa les yeux rivés à ses jumelles. Delta-Derby?

En rampant, l'éclaireur se glisse parmi les buissons. Soudain, il fait un signe à ses amis, qui le rejoignent, le cœur battant. Devant la grotte, **AUCUNE TRACE.**

— Soit le yéti est parti au village s'acheter de nouvelles bandelettes, déduit Delta-Derby en essayant de faire de l'humour, soit il nous attend pour souper. **À QUI L'HONNEUR ?**

Bêtabidule noue la corde autour du robot.

— Il va entrer en premier. Grâce au câble, on pourra facilement le faire sortir en cas d'urgence.

L'automate entre dans la grotte. Penchés au-dessus de l'épaule de Louis-Benjamin, les **ZALPHAS** suivent sa progression sur l'écran. Ils n'y voient que du noir. Tout à coup, un **BRUIT MAT** laisse présager un **incident.**

— Bêtarobot est tombé. On n'a plus le choix : **ON DOiT ENTRER.**

— **ALLONS-Y,** dit Delta-Derby. **BONNE CHANCE, LES Z.**

17

L'AMOMINABLE DU NÉPAL

En rampant, le garçon se glisse dans la caverne. À l'intérieur, il se relève et, à la lueur des yeux de l'automate, se dirige vers Bêtarobot.

— **JE LE VOIS,** explique-t-il. Je vais le remettre sur pied.

AAAAAAAAAAAAAAH !

Le cri du garçon **glace le sang** de ses amis.

— **ÇA VA,** Delta-Derby? demande Alpha-Béa d'une voix mal assurée.

Au bout de quelques secondes qui leur paraissent **INTERMINABLES,** la voix de Delta-Derby leur parvient, un peu sonnée :

— **OUI...** Je me suis pris les pieds dans la corde et j'ai foncé tête première sur une stalagmite. Grâce au casque, je n'ai presque rien senti. **VOUS VENEZ ?**

Les **Z** rejoignent leur ami à tour de rôle. La première chose qu'ils voient, en entrant dans la caverne, ce sont des **peintures rupestres** qui ornent les murs.

— On dirait des scènes de chasse, commente Gammascara.

— Qui mettent en vedette un **YÉTI,** poursuit Bêtabidule.

— Qui **POURCHASSE DES HOMMES,** ajoute Alpha-Béa, les jambes molles.

— **C'EST NOUS, ¡Ci!** s'écrie Delta-Derby.

En effet, sur la paroi courent quatre personnages juvéniles, vêtus d'habits de neige, dont l'un est orange avec une barre blanche sur la poitrine et une autre, sur la jambe. **LA PEIN-TURE EST FRAÎCHE.**

— **L'amominable** était donc ici il y a peu de temps, conclut Bêtabidule.

— **REGARDEZ !** hurle Gammas-cara. **DES SQUELETTES !**

Delta-Derby se tourne vers l'endroit que désigne son amie.

— Il y en a même un, dit-il, qui porte des vêtements qui font penser à…

— **Oswald de la Charpente**, termine Alpha-Béa en pointant du doigt un tableau posé par terre, contre le mur, représentant l'explorateur et sous lequel on a gravé son nom dans le bois du cadre.

Les jeunes échangent des regards **TERRiFiÉS.**

— Il faut **ABSOLUMENT** retourner à l'auberge pour alerter nos enseignants! s'exclame Alpha-Béa.

Delta-Derby sort son appareil de la poche de sa combinaison.

— Si on veut passer à *Expéditions dangereuses,* on va quand même prendre des photographies avant de partir.

Au bout de quelques minutes, qui semblent bien longues à ses amis, Delta-Derby range son appareil.

— **C'EST BON.** Je sors le premier?

Les autres s'écartent pour le laisser passer.

— Si jamais tu vois le yéti, **CRiE ET COURS,** lui recommande Alpha-Béa.

Bêtabidule lui tend la corde.

— Attache-là à ta taille. Si tu as un pépin, tire dessus **trois fois.**

Delta-Derby vérifie le nœud à plusieurs reprises. Puis il s'accroupit et rampe hors de la grotte.

Entre les mains de Bêtabidule, la corde se déroule de façon régulière, signe que Delta-Derby avance sans problème.

Brusquement, la corde se tend à trois reprises, alertant les **ZALPHAS.** Ils n'ont pas le temps de réagir que

Delta-Derby ressurgit dans l'entrée, couvert de neige.

— **MAUVAISE NOUVELLE.** La tempête a repris. **On est coincés ici.**

PRIS AU PIÈGE

16 h 38

— On va envoyer Bêtarobot chercher de l'aide, dit Bêtabidule, confiant.

Or, brusquement, l'automate s'éteint, jetant les **4Z** dans l'obscurité. Le garçon pianote sur son téléphone sans parvenir à remettre son robot en marche.

— Je ne peux plus le **diriger** à distance, probablement à cause de la tempête. Par chance, il a un système autonome.

À tâtons, le garçon se rend à son automate. Il tourne une manivelle pendant quelques secondes au bout desquelles la lumière revient.

— Bêtarobot peut nous éclairer pendant plusieurs heures, grâce à une dynamo.

Alpha-Béa, contente de revoir la lumière, se demande tout de même comment ils feront pour appeler à l'aide s'ils ne peuvent plus utiliser leurs cellulaires.

— **BAH!** répond Delta-Derby. Nos enseignants vont finir par se rendre compte de notre absence. Ils vont tout de suite se mettre **À NOTRE RECHERCHE.**

— Sûrement pas pendant la tempête, réplique Alpha-Béa.

— D'ici là, on a le temps de rencontrer le **yéti et sa famille,** souffle Gammascara.

Alpha-Béa, pragmatique, s'assoit et ouvre son sac :

— Au moins, on est **À L'ABRI.** En attendant les secours, je propose qu'on continue notre travail, pour le bien du journal.

Les journalistes se mettent aussitôt à la tâche afin de terminer ce qui sera peut-être **l'ultime édition** de *La Gazette des étoiles savantes.*

Ainsi, Béatrice note :

Classe de neige, jour 4

Nous sommes prisonniers du nid du yéti. Pour le moment, nous ne souffrons pas du froid. Nous avons d'ailleurs de quoi manger. Mais qu'arrivera-t-il si, par malheur, la tempête perdure ? Rejoindrons-nous les squelettes qui jonchent le sol ? Et si, par le plus vilain des hasards, l'abominable momie des neiges rentrait au bercail ?

De son côté, Erby griffonne :

Vous rêvez d'une soirée de terreur réussie? Alors, trouvez une
grotte isolée, découvrez-y un décor
macabre et faites-vous surprendre
par une tempête de neige. En
attendant que revienne le propriétaire des lieux – un prédateur san-
guinaire –, lisez des livres portant
sur les créatures légendaires et les
abominables. Ainsi, pas de risque de
vous endormir et mourir de froid.

Vous voulez vraiment avoir peur?
Alors, je vais vous présenter
quelques-unes des anecdotes dont
regorgent les deux livres dont je
vous parlais plus tôt, et provenant de la bibliothèque de l'auberge
où nous aurions dû rester.

Dans *Guide de survie à l'usage des aventuriers aux prises avec des créatures dont ils ne soupçonnaient pas l'existence*, on raconte que des gens qui s'étaient perdus dans la forêt, un soir, ont aperçu une sorte de fantôme poilu et puant aux yeux rouges. Selon ces témoins, la bête leur aurait tourné autour en grognant toute la nuit. Quand on a retrouvé les marcheurs, ils étaient devenus fous.

Dans *Au secours! Un abominable homme des neiges!*, on raconte qu'on a déjà retrouvé, dans la montagne, un homme en état de choc et presque mort de froid. Il s'était perdu alors qu'il tentait d'échapper à une énorme bête sur deux pattes, qui voulait l'attraper. Croyez-vous à cette histoire? Moi, oui.

D'ailleurs, si je survis à l'aventure que je vis présentement, j'écrirai un livre dans lequel je vous ferai de GRANDES révélations.

C'est les doigts engourdis par le froid que je vous écris ces mots. Si je devais quitter ce monde dans les prochaines heures, sachez que ce fut un honneur d'être au service de _La Gazette des étoiles savantes._

May-Lee prend une longue inspiration avant de plonger à nouveau dans l'univers de son personnage.

Dans le hangar, la femme compte ses pas: vingt-cinq. Soudain, elle se retrouve assise sur une chaise de barbier. On lui enlève prestement le sac qui lui couvre le visage. Elle n'a pas le temps de voir son ravisseur qu'on lui pose un gros casque sur la tête, semblable aux sèche-cheveux de l'ancien temps. Veut-on lui faire une nouvelle coiffure? Lui bousiller les neurones? La torturer pour lui faire avouer la formule de son vernis à ongles ultra résistant? Elle ne dira rien. Elle est forte. Elle est professionnelle. Elle est une espionne.

Une créature se plante brusquement devant elle. Immense, poilue comme un ours, avec un visage semblable à celui d'un homme préhistorique.

La bête plonge son regard bleu glacé dans celui de l'espionne avant de pousser un long rugissement.

Bêtabidule, carnet en main, manipule son automate.

Les nouveaux ajustements de Bêtarobot sont fonctionnels. Il ne reste qu'à tester les derniers ajouts : la bêtabouledisco et le lance-signaux. Aurons-nous l'occasion de les mettre à l'essai ?

Delta-Derby a beau lire des horreurs, son appétit ne faiblit pas.

— Les **Z,** avez-vous envie de faire un pique-nique ?

— **BONNE iDÉE !**

Delta-Derby met ses livres de côté et sort ses *jerkies* Purboeuf, tandis que Bêtabidule déballe les provisions de l'auberge.

— C'est quand même **excitant** de manger avec nos doigts, au milieu de la grotte, dit Gammascara en mordant dans une guimauve. On se croirait revenus **À LA PRÉHiSTOiRE !**

— **OUAIS,** dit Delta-Derby. Moi, les guimauves me font penser à un vieux documentaire de l'explorateur Daniel Bertolino, que j'ai trouvé, l'autre jour, sur une chaîne spécialisée. Bertolino était dans la jungle et il mangeait des **larves géantes** qui ressemblaient à des *marshmallows* vivants.

Gammascara roule des yeux. Bêta-bidule, qui allait porter une friandise à sa bouche, la remet dans le sac, **dégoûté.** Alpha-Béa les regarde, les bras croisés. Delta-Derby lui demande, avant de mordre dans une languette de bœuf:

— TU N'AS PAS FAIM?

— Les squelettes me coupent l'appétit.

— Justement, mange, si tu ne veux pas mourir de faim.

Cet argument convainc la jeune fille d'avaler deux biscottes et une sardine.

Leur repas terminé, les agents secrets font le **point.**

— On doit s'inquiéter de nous à l'auberge, dit Alpha-Béa.

— Avec la tempête, on va devoir attendre, soupire Gammascara. Pour se changer les idées, on pourrait **INVOQUER LES ESPRITS DE LA GROTTE...**

— Plutôt que d'appeler les morts, l'interrompt Delta-Derby, je planifierais **l'accueil DU MORT-VIVANT.**

Alpha-Béa souffle dans ses mains pour les réchauffer. Elle demande à Bêtabidule s'il a des idées.

— J'ai travaillé à un petit programme au cours des derniers jours. À l'aide du code **Morse,** que j'ai trouvé dans le dictionnaire, j'ai inscrit les lettres **S O S** dans les neurones lumineux de Bêtarobot. On va le poster à l'entrée. Il lancera des **APPELS DE DÉTRESSE** avec ses yeux.

Bêtabidule appuie sur un bouton, derrière la tête de son automate. Celui-ci se met aussitôt à émettre des signaux lumineux : trois petits flashs, trois longs, trois petits.

— Grâce aux traces de peinture et à ces signaux, les secours seront dirigés vers nous, conclut l'inventeur.

— **LES SECOURS** ou **LE YÉTI**, précise Delta-Derby.

— Nous sommes chez lui, répond Gammascara en haussant les épaules. Il va finir à coup sûr par revenir. Question technique : **ON S'ÉCLAIRE COMMENT** pendant que Bêtarobot est **dehors ?**

Alpha-Béa intervient en sortant une grosse lampe de poche de son sac à dos.

— Je l'avais apportée en cas de panne d'électricité, pour faire mes mots croisés.

Bêtabidule, qui noue la corde à sa taille, félicite son amie pour sa prévoyance. Puis il annonce :

— Je vais installer le robot.

Delta-Derby lui met une main sur l'épaule.

— **PAS D'IMPRUDENCE, HEIN ?**

19

EN ATTENDANT LA BÊTE

Quelques minutes s'écoulent après la sortie de Bêtabidule. Soudain, Delta-Derby pousse un **CRi** et manque de tomber par terre. Il échappe la corde.

— Bêtabidule a tiré très fort. **IL A DES ENNUiS ! C'EST SÛR !**

— **QUOi ?**

Delta-Derby rattrape la corde au moment où elle va s'engager dans la sortie de la grotte. De toute évidence, à l'extérieur, on tire dessus bien fort, de façon désordonnée.

— Soit Bêtabidule veut nous envoyer un message, soit il se débat contre JE-NE-SAIS-QUOI, conclut Delta-Derby, inquiet.

Alpha-Béa porte la main à sa bouche pour s'empêcher de crier.

— Je sens que ce sera bientôt notre tour, prédit Gammascara, épouvantée.

Elle termine à peine de prononcer ces mots quand des **grattements** se font entendre. Alpha-Béa, alertée, braque le faisceau de sa lampe sur l'entrée de la grotte. Au bout de quelques secondes, un **ÊTRE BLANC** fait irruption. Il porte ses mains à ses yeux pour se protéger de la lumière.

— **BÉA,** veux-tu, s'il te plaît, éclairer **AILLEURS ?**

— **BÊTABIDULE ?!**

— **MOI-MÊME !**

Le garçon secoue la neige qui recouvre ses vêtements. Delta-Derby, dans tous ses états, lui demande ce qui lui est arrivé. Bêtabidule répond :

— J'ai installé Bêtarobot sur une petite butte, pour qu'il soit visible. En revenant sur mes pas, je suis tombé sur un rond de glace. Quand je me suis relevé, j'ai voulu dénouer la corde pour l'attacher au robot, mais elle m'a glissé des mains. Je l'ai attrapée de justesse.

Le garçon reprend son souffle avant de poursuivre :

— J'ai fini mon travail puis je suis revenu en rampant, guidé par la lueur qui brillait dans la grotte. Sans ta lampe de poche, Béa, je serais **mort de froid** dans la tempête…

— L'abominable momie t'aurait pris pour une **FRIANDISE GLACÉE !** dit Delta-Derby avec un rire forcé.

— On ne rit pas de la mort, grogne Gammascara. **Ça porte malheur.**

— Tout est bien qui finit bien… pour le moment, conclut Alpha-Béa.

Maintenant, il faut se préparer au retour du yéti. **QUELQU'UN A DES IDÉES ?**

Gammascara sort une bouteille de revitalisant de sa trousse de beauté.

— Dans sa pub, **Irma Hata** dit que ce produit rend les cheveux lustrés et soyeux comme la tunique des Amazones, des guerrières légendaires. Si, comme elle l'affirme, **une seule goutte** suffit pour les rendre lisses, j'imagine que le contenu de toute une bouteille pourrait créer une patinoire.

La jeune fille vide le contenu de la bouteille en dessinant une **spirale,** à l'entrée de la grotte.

— Donc, on fait **CHUTER LE YÉTI** à son entrée, récapitule Alpha-Béa. **ENSUITE ?**

— On le vaporise de parfum de lavande, continue Gammascara. Pour le **détendre...**

— Il pourrait aussi avoir faim, intervient Delta-Derby. Alors, on le bombarde de *jerkies* Purboeuf pour détourner son attention pendant que je le photographie.

Gammascara hoche la tête.

— Pendant qu'il sera aveuglé par les flashs, je vais lui envoyer un jet de **COLLE À FAUX CILS** dans le dos. Dans l'une de ses vidéos, **Irma Hata** l'utilise pour coller un séchoir truqué en dessous d'une table. Ça devrait donc tenir. Il faudra ensuite pousser le **TOUTOU** contre le mur pour le neutraliser.

Bêtabidule ne semble pas convaincu.

— ET SI ÇA TOURNAIT MAL ?

Qu'est-ce qu'on pourrait faire contre un monstre aussi fort et féroce ?

Alpha-Béa a une idée :

— Tu pourrais faire entrer Bêtarobot en tirant sur sa corde. À l'intérieur, tu le mettrais en mode « bêtaboule-disco ». Les éclats de lumière qu'il projetterait déboussoleraient la bête.

L'agente installe ensuite sa lampe de poche sur une grosse roche.

— Pour l'impressionner, on pourrait aussi projeter des **OMBRES CHINOISES** sur les murs. Dans mon cahier de jeux, on nous montre comment faire le papillon, le lapin, le cygne…

En parlant, elle fait une démonstration.

— T'as pas quelque chose de plus **ÉPEURANT,** comme **l'araignée** ou **le monstre ?** demande Delta-Derby.

— Je peux y travailler.

— Il ne manque qu'un détail pour que notre préparation soit complète, déclare Gammascara : **LE CERCLE MAGIQUE.**

Elle sort un rouge à lèvres de sa trousse.

— **EH OUI !** On n'est jamais trop protégés contre les yétis momifiés. Aussi, je vais dessiner un cercle, sur le sol. On va s'assoir à l'intérieur.

Quand ils sont entourés de *Rouge mortel n° 5,* Gammascara brandit un tube de crème.

— C'est de la *Garde rapprochée,* l'écran solaire de la chanteuse espionne. On va se peindre un **CERCLE PROTEC-TEUR** sur chaque joue. Comme ceci.

La justicière en herbe passe le tube à son voisin, qui l'imite, et ainsi de suite. Quand c'est terminé, la jeune fille poursuit :

— Maintenant, tapez sur vos cuisses pour créer un **rythme.**

La jeune fille, inspirée, entonne le refrain de *Bête noire du désespoir,* en première position des palmarès cette semaine :

Dans la nuit
Mon cœur palpite
Un regard luit
Derrière la vitre
C'est la bête
Qui me poursuit
Dans la tempête
Elle pousse un cri :
Ahhhhhhhhhhh !

Le hurlement de Gammascara fait se détacher une **petite roche** du plafond. Celle-ci tombe sur la tête de Delta-Derby, heureusement toujours coiffé du casque. Or, le cri de surprise qu'il pousse crée une vive commotion au sein du groupe.

Quand le calme revient, Gammascara annonce :

— IL ARRIVE. JE LE SENS. Nous t'attendons, **ANIMAL DES TÉNÈBRES.**

FACE AU YÉTI

Vendredi, 0 h 1

— Habituellement, c'est à **minuit** que les **PHÉNOMÈNES iNEXPLi-QUÉS** commencent, lâche Gammascara en jetant un œil à l'écran de son cellulaire.

Au centre du cercle magique, les **42** ont beau appréhender l'arrivée du yéti, ils tombent de sommeil. Pour garder ses amis éveillés, Delta-Derby leur raconte des **histoires d'épouvante.**

— Une fois, dans une émission, une morte revenait à la vie pour se **venger** de ceux qui lui avaient volé les bijoux qu'elle portait, dans sa tombe…

— Elle se vengeait comment ? demande Alpha-Béa en levant les yeux de ses mots croisés.

— EN LES FAISANT MOURIR DE PEUR !

Bêtabidule et Gammascara claquent des dents.

— Est-ce qu'elle leur apparaissait, laiteuse et presque tangible, sous la forme d'un mot de dix lettres qui commence par un **E** et qui est

un synonyme de **« fantôme »** ?
demande Alpha-Béa.

— **ESPRIT ?** risque Gammascara.

— **ESCOGRIFFE ?** tente Bêtabidule.

— **EXTRAVENGEUR ?** suggère Delta-Derby, en comptant sur ses doigts, déçu de constater que le mot qu'il vient d'inventer comporte deux lettres de trop…

— **ECTOPLASME,** révèle Alpha-Béa, de la buée s'évadant de sa bouche.

Subitement, des **bruits** se font entendre dans l'entrée de la grotte.

— **À VOS POSTES !** crie Bêtabidule qui saisit la corde de Bêtarobot.

Gammascara prend place derrière une stalagmite, armée de son **parfum** et de sa **colle.** Delta-Derby, les poches débordantes de *jerkies* **Purboeuf,** ajuste sa caméra. Alpha-Béa prépare sa **lampe** pour une séance d'ombres chinoises.

Et le voici à quatre pattes qui fait son entrée dans la caverne, **gigantesque, blanc, poilu, pourvu de pieds énormes, griffus**, à la face et aux mains noires : **LE YÉTI !**

Alors qu'il tente de se relever en criant, l'animal **glisse** sur la spirale de revitalisant capillaire.

Delta-Derby, qui a le réflexe aiguisé, alterne entre la prise de photos et le

lancer de languettes de bœuf séché. Le flash de son appareil **aveugle** la momie, qui lève ses longs bras pour protéger ses yeux.

De son côté, Gammascara profite de l'aveuglement du yéti pour se glisser derrière et lui envoyer un jet de colle à faux cils dans le dos. Évitant de mettre le pied sur la patinoire de revitalisant, elle revient devant la bête et lui vaporise un nuage de parfum relaxant au visage.

– ARRRRRRRRRRRGH!

Jugeant qu'il est temps d'agir, Bêtabidule tire sur la corde attachée à Bêtarobot. Le yéti, désorienté par les flashs, les ombres chinoises, le parfum et la pluie de *jerkies*, fait un pas en avant et **S'EMMÊLE LES PATTES** dans la corde. En tentant de se relever, il **glisse** sur le revitalisant, **tombe** vers l'arrière et, avec un rugissement, **se retrouve** le dos collé au mur, pour la plus grande satisfaction de Gammascara, qui, malgré son effroi, constate combien les produits de son idole sont efficaces et polyvalents.

Soudain, des effluves malodorants montent au nez des agents secrets.

— ÇA SENT LE DIABLE! s'exclame Bêtabidule en ajustant la bêtabouledisco.

— **RELÂCHEZ-MOi !** grogne le yéti, qui se débat contre le mur.

Stupéfaite, Alpha-Béa s'écrie :

— **IL PARLE NOTRE LANGUE !**

— **AiDEZ-MOi** à me déprendre ! répète le monstre.

Bêtabidule l'observe, méfiant.

— Allez-vous nous **dévorer** et **utiliser** nos os pour décorer votre caverne ?

— **GRRRR !**

Le monstre lève les bras. Les justiciers reculent, effrayés. La bête porte une patte à son visage et… arrache sa cagoule. Les **4Z** reconnaissent alors…

— MONSIEUR POINTU ?!

— QUI D'AUTRE ?

— On pensait que vous étiez le **yéti du Grand Blanc,** s'exclame Alpha-Béa.

— HEIN ? Elle est bonne, celle-là !

L'homme rit. Delta-Derby ne se laisse pas facilement démonter.

— Avec votre costume en fourrure blanche, votre cagoule et vos gants, on dirait que vous voulez vous faire passer pour lui.

— **MAIS NON!** C'est un **pyjama en peluche** que ma femme m'a confectionné pour mon anniversaire, l'an dernier. Il est tellement chaud que je le porte pour sortir, l'hiver. Quant à la cagoule, elle est essentielle quand il fait tempête.

Bêtabidule plisse les narines.

— Qu'est-ce qui empeste comme ça?

Au prix de grands efforts, l'aubergiste réussit à s'arracher du mur.

— **CE SONT MES PANTOUFLES QUI PUENT!** explique-t-il en détachant ses claques.

Quand l'homme retire ses couvre-chaussures, les justiciers reculent

encore en apercevant ses grandes pantoufles en peluche brunes, pourvues
de longues griffes en tissu noir.

— Je suis sorti avec mes pantoufles,
une fois, et j'ai marché dans la
gadoue. Elles sont longtemps restées
humides et, à la longue, elles ont fini
par sentir mauvais. Mais je les aime
quand même. Elles sont confortables
et aussi chaudes que des bottes.

Gammascara vaporise du parfum
dans l'air pour combattre la **puanteur** qui s'est répandue dans la
caverne.

— C'est vous qu'on a vu **PRÈS DU
HANGAR**, en pyjama, **lundi soir ?**
demande Alpha-Béa en sortant son
calepin.

L'homme fouille ses souvenirs. Tout à coup, il se rappelle.

— **OUI !** Des lumières étaient restées allumées dans le hangar, alors je suis allé les éteindre. J'en ai profité pour faire le tour, pour voir si tout était barré.

« Ce qui expliquerait l'empreinte que nous avons vue le lendemain », songe Alpha-Béa en rayant de son calepin **la pièce à conviction numéro 1.**

— Comment êtes-vous rentré à l'auberge ? demande Gammascara, le nez bouché. On ne vous a pas vu revenir.

— Je suis passé par le **tunnel** qui relie le hangar à la cuisine.

« C'est la raison pour laquelle ça puait tellement à l'intérieur », pense Bêtabidule, qui demande :

— **QUI** a construit ce tunnel ? **POURQUOI ?**

L'homme enlève ses gants.

— C'est **Oswald de la Charpente** qui l'a fait construire, pour pouvoir accéder à son laboratoire **BEAU TEMPS, MAUVAIS TEMPS.**

Delta-Derby l'interrompt en le bombardant de questions :

— C'est vous qu'on a entendu marcher dans le salon, mardi, dans la nuit ? Qu'est-ce que vous faisiez ?

Avez-vous mangé les restants du gâteau au chocolat?

— **EUH...** Je rentrais de la caverne. J'avais affaire au musée, mais j'étais affamé. Au lieu de descendre, j'ai décidé de manger une collation. Il faut dire que j'avais travaillé fort. Et puis, je suis ressorti pour ranger des raquettes et des luges, qui traînaient près de la patinoire.

Pendant que l'homme parle, Alpha-Béa sort le sac contenant **la pièce à conviction numéro 5.** Elle compare les poils qu'il contient au pyjama de monsieur Pointu. Ils concordent **PARFAITEMENT.**

Soudain, elle remarque du rouge cramoisi sur l'un des poignets du pyjama.

« Serait-ce du **SANG SÉCHÉ ?** Monsieur Pointu serait-il un cannibale qui se déguise en yéti pour alimenter les légendes locales ? »

— Quand vous parlez de **« TRA-VAIL »,** vous voulez dire que vous vous occupez des **squelettes ?** demande la justicière en lui braquant la lampe dans le visage.

—EUH... OUi, ET AUSSi DES MURS... Peux-tu baisser un peu la lumière ?

Alpha-Béa horrifiée, fouille sa poche. Elle en sort **la pièce à conviction numéro 2,** constituée des poils blancs plus courts, à l'extrémité blonde.

— **MAUVAISE NOUVELLE,** les **ZALPHAS :** soit monsieur Pointu a un complice, soit le **YÉTI MOMIFIÉ COURT TOUJOURS...**

Pour faire écho aux propos de l'agente, des **grattements** se font entendre dans l'entrée de la grotte. Médusés, les **Z** voient alors surgir une bête trapue, à mi-chemin entre l'ours polaire et le gorille albinos.

— Cette fois, c'est la bonne! crie Delta-Derby.

21

MYSTÈRE ET COTON À FROMAGE

En posant les pattes sur le revitalisant glacé, l'animal glisse, fait trois pas et tombe entre les bras de l'aubergiste avec un **CRi DE STUPEUR.**

— **REGARDEZ !** s'écrie Alpha-Béa, qui a l'œil aiguisé. Sa fourrure correspond à la pièce à conviction numéro 2 et une **bandelette** sort de ses poches, comme celle qu'on a trouvée à l'auberge !

— **C'EST LE YÉTI MOMIFIÉ !** s'exclame Delta-Derby, victorieux.

— **PARDON ?** demande la bête en enlevant le foulard blanc qui couvrait son visage.

— **MADAME POINTU ?!**

Bêtabidule, ébahi, tente de démêler les écheveaux de cette histoire invraisemblable.

— Si vous n'êtes pas la momie, pourquoi est-ce que vous transportez du **coton à fromage ?**

L'aubergiste lisse son manteau de peluche avant de lancer un regard interrogateur à son mari, qui hausse

298

les épaules, sur le point de perdre patience.

— C'est pour les **SQUELETTES.**

— **C'EST-À-DIRE ?** demande Alpha-Béa.

— **OUI,** pour les fabriquer.

À la stupéfaction générale, elle explique que ces squelettes sont des **faux,** fabriqués avec de la **broche, du coton à fromage et du plâtre.**

— Comme ces scènes de chasse sur les murs, intervient monsieur Pointu. Je les ai réalisées avec de la peinture.

Les agents écoutent les aubergistes, les **yeux ronds.**

— Vous avez percé notre **SECRET.** On travaille présentement à un parcours d'interprétation des **LÉGENDES DU GRAND BLANC...** Cette grotte est dédiée aux **sasquatchs** et à la **momie** découverte par monsieur de la Charpente.

— On pensait annoncer notre projet aux médias ce printemps, précise madame Pointu.

Les **42** échangent des regards penauds. Un silence gêné s'installe, interrompu par Delta-Derby :

— Est-ce que le **PASSAGE SECRET** fera partie du parcours ?

— **CERTAINEMENT,** répond madame Pointu. On va y intégrer des ossements et des peintures, pour le rendre plus **effrayant.**

— Avec l'odeur des pantoufles, s'exclame Bêtabidule, il est déjà **angoissant !**

— Tu vois, dit monsieur Pointu à son épouse. Je savais qu'on devait les garder !

La réplique de l'aubergiste fait rire tout le monde. Soudain, Delta-Derby s'alarme :

— Ça veut dire que le yéti momifié court toujours !

— C'EST-À-DIRE...

Un **rugissement** et des **GRATTE-MENTS** se font entendre à l'entrée de la grotte.

— **LE VOILÀ, NOTRE ABOMI-NABLE,** dit Gammascara en claquant des dents… et il a l'air en forme !

GRRR !

Un **ÊTRE BLANC** glisse sur le revitalisant en entrant dans la grotte. Il réussit à rester debout en faisant des moulinets avec ses bras. Son ombre s'étire, menaçante, sur les murs.

— **ON LE TIENT !** crie Gammascara en brandissant sa bouteille de parfum, tandis que Bêtabidule actionne la bêtabouledisco.

— **HEiLLE !** crie le monstre en dénouant son capuchon, qui ne laissait voir que le bout d'un nez rougi par le froid et des sourcils couverts de frimas.

— **MONSIEUR MARC ?!!**

— **OUI ! Et je suis de méchante humeur !** On s'inquiète pour vous à l'auberge ! En plus, j'ai failli me blesser en glissant sur une plaque de glace, devant la grotte !

Les **4Z** sont allés trop loin, cette fois. Bêtabidule demande tout de même à la ronde, avec un mélange de curiosité et de culpabilité :

— Comment vous nous avez retrouvés ?

— Je vous ai vus entrer dans la forêt cet après-midi, répond monsieur

Pointu. Je vous ai reconnus grâce à l'habit orange de votre ami. Ensuite, je me suis fié aux **SOS** envoyés par votre robot.

— Et aux **traces de peinture** dans la neige, ajoute madame Pointu.

— D'ailleurs… mon habit est taché, grogne monsieur Marc.

— **DÉSOLÉ,** bafouille Bêtabidule. La peinture va partir au lavage. Mais, en ce moment, on est en **DANGER !** Savez-vous que la momie du yéti s'est évadée du musée dans la nuit de mardi à mercredi ?

Les aubergistes se regardent, abasourdis.

— **MAIS NON,** explique madame Pointu. La momie a simplement été envoyée à l'Institut international d'histoire et d'archéologie pour une **EXPOSITION.**

Monsieur Pointu ajoute :

— Des chercheurs sont venus la prendre quand vous étiez tous partis en promenade.

Delta-Derby, qui sent ses rêves de popularité s'envoler, demande, dépité :

— Finalement, est-ce que c'est une **MOMIE DE YÉTI ?**

— D'après les premières analyses, répond madame Pointu, la momie aurait été fabriquée à partir de **fourrure, de tissu, de plâtre, de cire...**

— Ce serait une **FAUSSE MOMIE ?** s'étonne Alpha-Béa, qui note tout dans son calepin.

L'aubergiste hoche la tête.

— **OUI.** Cette momie est une contrefaçon. Un attrape-touristes. Monsieur de la Charpente s'est fait avoir par des vendeurs malhonnêtes, qui ont profité de sa crédulité et de sa fortune…

— Qu'est-ce qui est arrivé à l'explorateur ? demande Gammascara.

Madame Pointu sourit, désolée.

— On ne le saura probablement jamais.

— Ce qui est clair, grogne monsieur Marc, c'est que j'ai vraiment hâte de dormir... **ALLEZ! ON S'EN VA!**

Les **4Z**, partagés entre la **déception** et le **soulagement,** ramassent leurs affaires. Quand ils quittent la grotte, la tempête s'est tue et le chemin menant au hangar est tout illuminé grâce à la bêtapeinture. Ils seraient émerveillés s'ils n'étaient pas préoccupés par l'accueil que leur réserveront leurs enseignants...

«Ce sera quand même moins pire qu'une attaque de yéti», songe Béatrice, qui reporte son attention sur l'une des énigmes de ses mots croisés pour se changer les idées.

— **POUAH !** dit-elle en entrant dans le tunnel secret du hangar. Connaissez-vous un mot de dix lettres qui commence par un **M** et qui est le synonyme de **« malodorant » ?**

— **BOF...,** répond Louis-Benjamin, en mettant son foulard sur son nez.

— **BAH...,** dit à son tour Erby, déprimé.

— Je donne ma langue au yéti, lâche May-Lee en soupirant longuement.

— **MOI, JE LE SAIS,** dit madame Pointu. Le mot qu'on cherche est **« méphitique ».** C'est-à-dire extrêmement puant.

— **OUI,** dit Béatrice. Ce mot fait peur, **HEIN?**

— Comme les pantoufles de mon mari! **HA! HA! ENTREZ!** Vous prendrez bien des biscuits et du lait avant d'aller au lit…

UNE OPÉRATION ÉCHEVELÉE

Par la rédaction de La Gazette des étoiles savantes

Avant tout, nous souhaitons exprimer toutes nos excuses aux élèves, à nos enseignants et aux aubergistes, pour la nuit blanche que nous leur avons fait passer à cause de notre enquête.

Pour réparer nos torts, nous avons monté une exposition de photographies prises lors de la classe de neige. Ceux qui voudront la voir pourront se procurer des billets au coût de deux dollars. Les profits serviront à acheter des livres pour notre

La Gazette des étoiles savantes

Une opération échevelée

Par la rédaction de *La Gazette des étoiles savantes*

Avant tout, nous souhaitons exprimer toutes nos excuses aux élèves, à nos enseignants et aux aubergistes, pour la nuit blanche que nous leur avons fait passer à cause de notre enquête.

Pour réparer nos torts, nous avons monté une exposition de photographies prises lors de la classe de neige. Ceux qui voudront la voir pourront se procurer des billets au coût de deux dollars. Les profits serviront à acheter des livres pour notre bibliothèque, et de nouvelles pantoufles à monsieur Pointu.

Ainsi, durant notre séjour à l'Auberge du Grand Blanc, notre enquête nous a menés à la découverte d'un parcours touristique inspiré de légendes locales! Nous vous l'annonçons en primeur, cette attraction, conçue et réalisée par monsieur et madame Pointu, sera ouverte au public dès l'été prochain. Dans la grotte dite «Du yéti», vous pourrez admirer la momie qui a tant stimulé notre imagination, ainsi que des ossements et des peintures à glacer le sang. Si vous observez bien ces scènes, vous verrez un abominable homme des neiges pourchassant quatre jeunes en habits d'hiver. C'est nous! En effet, monsieur Pointu dit avoir été inspiré par l'habit d'Erby, voyant à souhait.

Qu'en est-il de monsieur de La Charpente, l'explorateur disparu dans d'étranges circonstances? Eh bien, nous som...

primeur qu'Erby...

bibliothèque, et de nouvelles pantoufles à monsieur Pointu.

****

Ainsi, durant notre séjour à l'Auberge du Grand Blanc, notre enquête nous a menés à la découverte d'un parcours touristique inspiré de légendes locales ! Nous vous l'annonçons en primeur, cette attraction, conçue et réalisée par monsieur et madame Pointu, sera ouverte au public dès l'été prochain. Dans la grotte dite « du yéti », vous pourrez admirer la momie qui a tant stimulé notre imagination, ainsi que des ossements et des peintures à glacer le sang. Si vous observez bien

ces scènes, vous verrez un abominable homme des neiges pourchassant quatre jeunes en habits d'hiver.
C'est nous ! En effet, monsieur
Pointu a dit avoir été inspiré par l'habit d'Erby, voyant à souhait.

Qu'en est-il de monsieur de la
Charpente, l'explorateur disparu
dans d'étranges circonstances ?
Eh bien, nous sommes fiers de
vous annoncer en primeur qu'Erby
Loiseau a fait la lumière sur ce mystère ! En effet, juste avant notre
départ de l'auberge, il a ouvert
l'un des livres de sa bibliothèque,
dont s'est échappée une feuille
volante qui explique tout ! La voici,
reproduite avec l'autorisation des
aubergistes :

17 mai 1872

Cette semaine, un cirque s'est installé en ville. Délaissant mes recherches, je suis allé voir le spectacle pour me délasser. J'y ai rencontré Léa, une jolie femme à barbe, qui fait du maïs soufflé au caramel irrésistible.

J'ai assisté à toutes les représentations depuis. Léa et moi avons fait plus ample connaissance. Je suis devenu fou d'elle. Le cirque part demain, pour une tournée en Europe. J'abandonne tout. Je pars avec lui! Adieu, auberge, laboratoire, déprime, cauchemars, momie. Bonjour l'amour!

C'est beau, hein? Ce n'est pas l'avis d'Erby Loiseau, qui aurait voulu être le premier journaliste à prouver l'existence des yétis. Il se console en ayant éclairci la disparition nébuleuse de l'explorateur. «Comme quoi, a-t-il affirmé, on finit toujours par trouver des réponses à nos questions en ouvrant un livre.»

Si vous voulez en savoir plus au sujet des abominables et de la survie en forêt, ne manquez pas la chronique lecture d'Erby Loiseau.

La rédaction vous invite également à lire la chronique scientifique de Louis-Benjamin Beaudin-Provencher, intitulée *Pour ne pas perdre le Nord*, dans laquelle il nous présente quelques programmes testés durant notre mission. À la chronique de Louis-Benjamin s'ajoutent des comptes rendus d'expériences des élèves du groupe 601, tels *Pourquoi il ne faut pas coller sa langue sur le métal par temps froid*, de Sylvio Calvino, et *Pour ou contre la tuque? Le cas des oreilles glacées*, de Bertrand Deshérons.

Vous êtes fans d'Irma Hata? Vous aimez les histoires d'espionnage? Vous serez charmés par le texte de May-Lee Binette, intitulé *Bons baisers du Grand Blanc.*

Par ailleurs, je vous invite à lire des extraits du journal de bord que j'ai tenu durant notre classe de neige.

Pour finir, voici quelques blagues :

Qu'est-ce qui est brun et blanc, a seize pattes et sautille ?

— Deux yétis et deux sasquatchs dans un cours de Zumba !

Une autre ?

Monsieur et madame Mie ont un garçon. Comment s'appelle-t-il ?

— Mo. Mo Mie !

Ha ! Ha ! Ha !

****

L'équipe de La Gazette des étoiles savantes est là pour enquêter et vous informer sur tous les sujets qui touchent notre école. Si vous avez entendu des rumeurs ou avez été témoins d'un événement dont vous voudriez nous faire part, n'hésitez pas à communiquer avec nous.

ÉPILOGUE

Lundi, 7 h 41

Cling ! Dring ! Zzz !

Alpha-Béa

Bonjour, les Z ! Je vous attends dans la grande salle.

Bloop ! Cling ! Zzz !

Delta-Derby

J'entre dans l'école !

Bloop ! Cling ! Dring !

Bêtabidule

> Je suis derrière toi, Delta-Derby.
> Il flashe, ton nouvel habit !
> Vert fluo !

Bloop ! Cling ! Zzz !

Delta-Derby

> J'ai eu un accident avec l'habit
> orange, hier soir. Il était trop tard
> pour le recoudre. Alors, j'ai hérité
> d'une autre antiquité de mon père.

Bloop ! Dring ! Zzz !

Gammascara

> Pas pratique pour se camoufler.
> À moins d'enquêter chez des
> chenilles radioactives !

La jeune fille se glisse derrière son ami et le fait sursauter en lui mettant les doigts dans les côtes.

—BOUH!

Erby se retourne en adoptant une posture de défense qu'il a apprise en visionnant des émissions de sports extrêmes. Béatrice sourit.

—TU AS DE BONS RÉFLEXES!

Tu ferais fuir un yéti si on en rencontrait un!

—**IMPOSSIBLE,** répond le journaliste avec un soupir. Monsieur Pointu l'a dit: les abominables appartiennent aux **légendes...**

— **ON NE SAIT JAMAIS!** réplique Bêtabidule. Il y a toujours une part de vrai dans les légendes… Quant à moi, en fin de semaine, j'ai travaillé à un nouveau programme pour faire durer le plaisir de la classe de neige. Il permet à mon automate d'imiter les cris des créatures légendaires.

Et le garçon dit à son cellulaire :

— **BÊTAROBOT, LOUP-GAROU!**

L'automate se met aussitôt à **hurler.** Son **CRI** est si saisissant que des élèves se retournent en sursautant. Satisfait, le garçon dit encore :

— **BÊTAROBOT, YÉTI!**

Le robot réagit en poussant un terrible **rugissement.** Cette fois, l'enseignante de maternelle, qui surveille dans la salle, leur fait un signe de la main, pour qu'ils baissent le son.

Béatrice en profite pour sortir son calepin.

— J'ai écrit quelques nouvelles **BLAGUES** pour le journal.

«Quelle est la destination voyage préférée du **SASQUATCH?** **LA SASQUATCHEWAN!**»

Les jeunes rient. Leur amie poursuit:

«Une fois, c'est une jeune momie qui dit:

— Maman, j'ai chaud. Est-ce que je peux enlever des **BANDELETTES ?**

— Non, tu pourrais attraper un **rhume de cerveau !** »

May-Lee rit de bon cœur. Elle sort ensuite sa tablette de la poche avant de son sac à dos.

— J'ai rédigé le dernier volet de mon histoire, dit-elle en ouvrant le fichier.

Elle s'éclaircit la voix et lit :

La créature actionna un bouton sur le côté du casque. Celui-ci se mit alors à émettre toutes sortes d'ondes aiguës et de grésillements. Qu'allait-on faire subir à

l'espionne? Une nouvelle teinture?
Un lavage de cerveau?

Le mutant poussa un second
rugissement, qui se transforma en
mots à l'intérieur du casque. C'est
alors qu'elle comprit: on avait posé
sur sa tête un coiffotraducteur!

La femme tendit l'oreille, le cœur
battant. Les prochaines secondes
allaient être cruciales. La bête
sortit un calepin et un stylo de
sa poche, et grogna:

— Est-ce que je peux avoir un
autographe?

Fin

May-Lee range sa tablette en expliquant :

— Au départ, je pensais leur faire vivre un coup de foudre et finir mon histoire avec un **mariage** et de nombreux **enfants barbus...** mais Erby m'a devancée avec sa découverte !

— **HÉ !** réplique son ami avec un haussement d'épaules.

Béatrice rit en écrivant «Affaire classée» sur la couverture de son calepin.

— **RESTONS AUX AGUETS :** on pourrait réellement avoir besoin de nous un jour. Et nous serons prêts à tout, avec nos talents particuliers.

May-Lee, par exemple, as-tu toujours des pressentiments ?

La jeune fille consulte sa montre. Il est 7 h 55.

— Je prédis que la cloche va sonner dans **3, 2, 1...**

Rien ne se produit. Les justiciers regardent la médium avec des sourires en coin.

Bientôt, l'enseignante responsable de la surveillance allume et éteint plusieurs fois les lumières.

— On vient de m'informer que la **CLOCHE EST DÉFECTUEUSE**. Je vous invite donc à vous mettre en rang calmement ! **Bonne journée !**

— **C'EST FORT !** dit Erby à son amie, moqueur. Tes pouvoirs sont tellement puissants que tu as détraqué la cloche !

— **BAH !** À force de m'exercer, mon intuition va gagner en puissance et en précision. Peut-être qu'à ce moment-là, je serai prête pour un stage auprès d'**Irma Hata**.

Alpha-Béa lui sourit et déclare, en allongeant le poing :

— Je crois en toi, Gammascara, comme en vous tous. **ALORS, ON CONTINUE ?**

Les trois autres justiciers font de même et s'écrient :

– ALPHA !

– BÊTA !

– GAMMA !

– DELTA !

DANS LA SÉRIE
Slalom

 POLICIER

 SUSPENSE

 ENQUÊTES

TABLE DES MATIÈRES